LA MAISON SUSPENDUE

Maquette de la couverture : Claude Lafrance
Photographie de la couverture : Georges Dutil

ISBN 2-7609-0186-6

© Copyright Ottawa 1990 par Leméac Éditeur.
Dépôt légal - Bibliothèque nationale du Québec
3ᵉ trimestre 1990

Imprimé au Canada

MICHEL TREMBLAY

La Maison suspendue

LEMÉAC

PHOTO : GEORGES DUTIL

Michel TREMBLAY est né le 25 juin 1942 à Montréal dans un quartier populaire. Après sa 11e année il s'inscrit aux Arts graphiques et de 1963 à 1966 il exerce le métier de typographe à l'Imprimerie judiciaire. Sa première pièce, *le Train*, qu'il a écrite à dix-sept ans, remporte en 1964 le premier prix du Concours des Jeunes auteurs de Radio-Canada.

En 1965, Michel Tremblay écrit *Les Belles-Sœurs*. Cette pièce est créée en 1968 par le Théâtre du Rideau Vert à Montréal et sera produite à Paris en 1974 par la Compagnie des deux chaises où elle est reconnue la meilleure pièce étrangère de l'année. Depuis le succès des *Belles-Sœurs* en 1968, Michel Tremblay se consacre entièrement à l'écrit dramatique. Parmi ses pièces les plus marquantes, créées à Montréal, mentionnons: *En pièces détachées* en 1969; *À toi pour toujours ta Marie-Lou* en 1971 et reprise en 1974; *Hosanna*, créée en mai 1973, est présentée l'année suivante au Tarragon Theatre de Toronto et, par la Compagnie des deux chaises, au Bijou Theatre à New York en 1975; *Bonjour là, bonjour* en 1974, reprise en 1980 par le Théâtre du Nouveau Monde; en 1976 la Compagnie Jean Duceppe crée *Sainte Carmen de la Main*, la pièce la plus ouvertement «engagée» de Tremblay, jouée en anglais à Toronto en 1978 et reprise en français par le Théâtre du Nouveau Monde à la fin de la saison 1978; *Damnée Manon, Sacrée Sandra* en 1976, reprise en 1980. Ainsi prend fin le «cycle» des *Belles-Sœurs*.

En avril 1980, la pièce *l'Impromptu d'Outremont* est créée à Montréal au Théâtre du Nouveau Monde. Elle est reprise au Théâtre Port Royal de la Place des Arts de Montréal à l'hiver 1980. Sa plus récente pièce, *les Anciennes Odeurs*, était créée au Théâtre de Quat'Sous en 1981. En 1974 Tremblay signe le scénario de son premier long métrage, *Il était une fois dans l' Est,* réalisé par André Brassard. Un autre film de Tremblay-Brassard, *Le soleil se lève en retard,* sera lancé l'année suivante.

Michel Tremblay a publié en 1978 le premier ouvrage des Chroniques du Plateau Mont-Royal, *La Grosse Femme d'à côté est enceinte*. En 1979, l'œuvre est publiée en France, chez Robert Laffont. Le deuxième roman de ce cycle romanesque, intitulé *Thérèse et Pierrette à l'école des Saints-Anges*, est publié en 1980, puis en France, chez Grasset, en 1983. Le troisième, *La Duchesse et le roturier*, est paru en 1982, et chez Grasset, en 1984. La même année, un quatrième roman venait s'ajouter au cycle: *Des Nouvelles d'Édouard*. En 1989 paraît le dernier tome, *Le Premier Quartier de la lune*.

En 1986, il publie *Le Cœur découvert*, roman d'amours. Depuis 1964, Michel Tremblay a écrit une quinzaine de pièces de théâtre, deux comédies musicales, un recueil de contes, six romans, quatre scénarios de films. Il a adapté pour la scène des pièces d'Aristophane, Paul Zindel, Tennessee Williams, Dairo Fo, Tchékov et Gogol.

Il a reçu en 1974 le Prix Victor-Morin décerné par la Société Saint-Jean-Baptiste de Montréal. En 1976, il s'est vu attribuer la Médaille du Lieutenant-gouverneur de la province de l'Ontario. Il fut plusieurs fois titulaire d'une bourse du Conseil des Arts. En 1981, il reçut le prix France-Québec pour *Thérèse et Pierrette à l'école des Saint-Anges*. En 1984, il a été nommé Chevalier de l'Ordre des Arts et des Lettres de France. En 1986, il a reçu le prix Chalmers pour *Albertine, en cinq temps*. En 1988, il reçoit le Prix Athanase-David pour l'ensemble de son œuvre. En 1989, il reçoit le Grand prix du livre de Montréal avec *Le Premier Quartier de la lune*.

CRÉATION ET DISTRIBUTION

La Maison suspendue a été créée le 12 septembre 1990 à la Compagnie Jean Duceppe de la Place des Arts de Montréal, dans une mise en scène d'André Brassard, des décors de Michel Crête, des costumes de François Barbeau, des éclairages de Luc Prairie et une musique originale d'André Gagnon.

La distribution était la suivante:

Josaphat	Yves Desgagnés
La Grosse Femme	Denise Gagnon
Victoire	Élise Guilbault
Albertine	Rita Lafontaine
Édouard	Jean-Louis Millette
Mathieu	Michel Poirier
Jean-Marc	Gilles Renaud
Gabriel, 11 ans Marcel, 11 ans Sébastien, 11 ans }	Hugolin Chevrette-Landesque

LA MAISON SUSPENDUE

PERSONNAGES

1910

VICTOIRE, la trentaine
JOSAPHAT-LE-VIOLON, la trentaine
GABRIEL, 11 ans

1950

LA GROSSE FEMME, la quarantaine
ALBERTINE, la quarantaine
ÉDOUARD, la quarantaine
MARCEL, 11 ans

1990

JEAN-MARC, la quarantaine
MATHIEU, la trentaine
SÉBASTIEN, 11 ans

Le décor représente la maison en bois rond de Duhamel, en un très beau début de soirée de juillet.

Une étrange et puissante énergie se dégage de cette maison, comme si toute l'histoire du monde s'y était déroulée.

Entrent Jean-Marc et Mathieu qui portent des bagages.

JEAN-MARC

Ça a pas changé. Enfin, presque pas. Y'a juste les fils électriques pis l'antenne de télévision que j'ai vue en arrière... C'est incroyable, hein? Quand chus venu la visiter, au printemps, j'avais peur d'la retrouver complètement transformée. Tu sais c'qu'y font aux vieilles maisons, maintenant... Mais en montant le p'tit sentier qui part de la route, j'ai eu l'impression de retomber en enfance. Tout était pareil... Les couleurs, les sons, les odeurs, évidemment... Les arbres étaient plus gros mais c'étaient les même arbres...

MATHIEU

C'est pour ça que tu l'as achetée? Pour retomber en enfance?

JEAN-MARC, *souriant*

Peut-être bien...

MATHIEU

Le moins qu'on puisse dire... c'est que c'est rustique!

JEAN-MARC

J't'avais prévenu, Mathieu... C'est une maison de bois rond qui a presque pas changé depuis cent ans...

MATHIEU

C'est pas une critique... c'est une simple constatation...

JEAN-MARC

T'étais pas obligé de me suivre...

MATHIEU

Écoute, on va sûrement être très bien, ici. Le temps que Sébastien et moi on s'adapte.... Pis on est là juste pour deux semaines... Ensuite, on va te laisser travailler en paix... Aïe, c'est ma première maison de campagne. J'ai quasiment le trac. Chus un vrai p'tit gars d'la ville, moi, j'connais pas ça, la campagne... Enfin, la vraie... Celle-là.

JEAN-MARC

Moi non plus, à vrai dire... J'me suis toujours contenté de profiter des maisons de campagne de mes amis... Même ici, tu vois, chus pas venu très souvent...

MATHIEU

En tout cas, c'est beau... Tout ça, le lac, les montagnes, c'est impressionnant... Peut-être un peu angoissant, là, mais impressionnant...

Il prend une grande respiration.

MATHIEU

Pis c'est vrai que ça sent bon. L'air est comme coupant. J'ai l'impression que si j'respire trop profondément, j'vas me saouler! Rouler à terre parce qu'on a respiré de l'air trop pur, ça doit pas être désagréable! En tout cas, ça doit faire changement... L'odeur de sapin, là, ça reste-tu ou ben si ça s'en va au bout de quelques heures comme l'odeur de la mer?

Il est visiblement nerveux. Il lance un grand soupir.

JEAN-MARC

Tu donnerais cher pour te retrouver ailleurs, hein?

MATHIEU

Tu-suite, là, oui... Je reprendrais la voiture pis je retournerais à Montréal, dans le bruit pis la chaleur... Mais ça va aller... Après la première nuit, ça va aller... J'espère. J'haïs ça, quand chus comme ça... J'ai toutes les raisons du monde d'être bien, pourtant...

JEAN-MARC

D'habitude, quand on achète une maison, on dit souvent: «Ah, les vibes sont ben bonnes... Aussitôt que chus entré là, j'ai senti que c'était la bonne place, que c'te maison-là m'attendait...» Des fois c'est vrai, des fois c'est juste pour se persuader qu'on a fait le bon choix. *(Il se lève.)* Mais tu vois, quand chus venu visiter la maison, au printemps, c'est les vibes de ma propre famille qui étaient à vendre... J'achetais même du beau-frère de mon père... Depuis cent ans que c'te maison-là existe, c'est ma famille à moi qui s'est chicanée ici, qui s'est débattue, qui s'est réconciliée, qui a braillé, tapé du pied, joué du violon pis de l'accordéon, chanté des chansons à répondre, improvisé des nouveaux pas de gigue. Y'a eu des partys mémorables, des enterrements loufoques, un mariage, en particulier, d'une grande tristesse qui a fait de mon grand-père mon grand-oncle... Mon père, ma grand-mère pis mon vrai grand-père se sont assis ici, comme nous autres, ce soir, mais pendant des années... Y'ont regardé le soleil se coucher... Y'ont eu la même angoisse quand la noirceur prenait, juste avant que les maringouins sortent du bois... Y'ont peut-être pensé, eux autres aussi, qu'y'étaient rien au milieu de rien, sans savoir ce qui les attendait, sans savoir où y s'en allaient... Eux autres, c'tait la grande ville qui les attendait pis y'étaient pas prêts à l'affronter, surtout pas ma grand-mère qui s'est jamais remise d'être partie d'ici... Ma mère est venue ici se reposer de moi, un été, parce que j'venais d'avoir la scarlatine pis que j'étais pas endurable; ma tante Albertine pis mon oncle Édouard ont essayé de se réconcilier, peut-être ici même, sur la galerie... Mon cousin Marcel a caressé son maudit chat imaginaire... Ma tante Madeleine a été parquée ici par son mari tous les étés pendant toute leur vie, ou presque, pendant que lui allait courir la galipote... Mon autre grand-mère est morte ici d'une indigestion de blé d'Inde en épi! Tout ça c't'à moi, Mathieu, ça fait partie de mon héritage, c'est mon seul héritage, en fait. J'aurais acheté c'te maison-là même si a' m'avait déçu après tant d'années; même si le toit avait coulé pis que la galerie avait été pourrie... même si a'l'avait pus été habitable. J'ai acheté tous ces souvenirs-là pour les empêcher de sombrer dans l'indifférence générale.

MATHIEU, *tout bas*

Pis pour les ressusciter?

JEAN-MARC

En tout cas, pour m'aider à essayer. J'aurai pas assez de tout un été...

MATHIEU

T'es sûr de pouvoir passer deux mois tout seul ici?

JEAN-MARC

Non.

Entre Sébastien qui porte une petite valise.

SÉBASTIEN

Jean-Marc, as-tu vérifié si la télévision marchait?

MATHIEU

Sébastien, on vient d'arriver!

JEAN-MARC

On n' est même pas encore entrés dans' maison...

SÉBASTIEN

Ben oui, mais c'est important!

MATHIEU

Aie pas peur, tu vas pouvoir le faire fonctionner, ton Nintendo!

JEAN-MARC

Les couleurs seront peut-être pas tout à fait à ton goût, mais chus pas mal sûr que ça va marcher. Y'a une antenne sur le toit...

SÉBASTIEN

Le Nintendo, ça marche même pas avec l'antenne!

Mathieu et Jean-Marc se regardent.

MATHIEU

Comment ça, ça marche pas avec l'antenne...

SÉBASTIEN

Ben, si t'enlèves le câble, là, en ville, l'image de la télévision est laide mais si tu branches le Nintendo, a' va être belle pareil!

MATHIEU ET JEAN-MARC

Ah, oui?

Sébastien regarde la maison pour la première fois.

SÉBASTIEN

C'est ça, la maison?

JEAN-MARC

Ben oui...

SÉBASTIEN

Pis on va rester là-dedans deux semaines?

MATHIEU

Oui, pis on va aimer ça, Sébastien!

SÉBASTIEN

En tout cas, on va essayer, hein? Y'a-tu des fantômes, au moins?

JEAN-MARC

Certainement! Y'en a trois! Un dans chaque chambre. Un qui boite, un qui est borgne, pis l'autre qui a pas de tête...

SÉBASTIEN

J'vas prendre la chambre avec celui qui a pas de tête...

Sébastien s'est approché de la maison.

SÉBASTIEN

T'as déjà resté ici, toi, Jean-Marc?

JEAN-MARC

Non, non... Mais je venais, des fois, quand j'avais ton âge...

SÉBASTIEN

C'est-tu vrai qu'y'a des couleuvres?

JEAN-MARC

En tout cas, y'en avait... «dans mon temps», comme tu dis souvent...

SÉBASTIEN

Ouache...

Il se réfugie sur la première marche de l'escalier. On entend aussitôt une plainte de violon.

SÉBASTIEN

Y rentrent-tu dans' maison?

JEAN-MARC

Y savent pas que c'est une maison, Sébastien, y vont partout où ça leur tente...

SÉBASTIEN

Y montent-tu dans les lits?

JEAN-MARC

Tu veux vraiment que j'te fasse peur, là, hein? Tout à l'heure c'étaient les fantômes, là c'est les couleuvres...

MATHIEU

Sébastien, Jean-Marc a pas le temps de conter des peurs, là, y faut s'installer... *(Avec un sourire.)* Ça va peut-être être assez épeurant comme ça... Ça fait combien de temps que c'te maison-là a pas été habitée, là?

Jean-Marc cherche ses clefs.

JEAN-MARC

Voyons... les maudites clefs... Ça fait pas si longtemps que ça... Ça va être vivable, chus sûr...

Mathieu regarde vers le lac.

MATHIEU

R'gardez, on peut presque regarder le soleil en face sans se brûler les yeux, à c't'heure-là. Les couchers de soleil doivent être magnifiques, ici, hein?

JEAN-MARC
qui a trouvé ses clefs

Oui. On sort des chaises sur la galerie... C'est le plus beau spectacle du monde... Bon, allons-y...

SÉBASTIEN

Pourquoi la galerie fait le tour de la maison, Jean-Marc?

JEAN-MARC

Parce que c'est beau tout le tour de la maison, Sébastien.

Ils montent tous les trois sur la galerie. Le son du violon s'amplifie .Ils entrent. Aussitôt qu'ils ont fermé la porte derrière eux, elle s'ouvre à nouveau, brusquement, et Victoire, vêtue comme en 1910, sort de la maison.

VICTOIRE

Josaphat! *(Elle attend quelques secondes, se dirige vers le bout droit de la galerie.)* Josaphat, c'est ben beau c'que tu joues!

VOIX DE JOSAPHAT

C'est beau, hein?

VICTOIRE

C'est nouveau?

Le violon s'arrête après quelques mesures. Josaphat-le-Violon entre, tenant son instrument et son archet à bout de bras.

JOSAPHAT

J'comprends que c'est nouveau, je l'ai pas encore fini!

VICTOIRE

Arrête-toé pas. Pourquoi tu t'es arrêté?

JOSAPHAT

J'y retourne, là. J'étais juste content que tu me dises que c'est beau...

Il se retourne pour partir.

VICTOIRE

Tu joues de bonne heure à soir...

JOSAPHAT

Eh, oui...

VICTOIRE

T'es sûr qu'y'est pas trop de bonne heure?

Josaphat a disparu dans le bois.

VOIX DE JOSAPHAT

R'garde vers le su', Victoire, tu vas voir.

Elle regarde vers le sud.

VICTOIRE

Ha! C'est pourtant vrai! R'garde donc ça! Est levée! *(Plus fort:)* Tu changeras jamais, hein?

VOIX DE JOSAPHAT

Que c'est que tu dis?

VICTOIRE

J'dis que tu changeras jamais!

VOIX DE JOSAPHAT

Pourquoi j'changerais? Chus parfait de même!

Le son du violon se lève à nouveau.

VICTOIRE, *pour elle même*

J'vas finir par penser que c'est vrai, mon grand frère, que c'est toé qui fais lever la lune tou'es soirs! Maudit ratoureux! Y doit passer son temps le nez dans l'almanach certain!

La porte de la maison s'ouvre. Sébastien sort en courant.

SÉBASTIEN

Je l'ai laissé dans' voiture!

Mathieu sort derrière lui.

MATHIEU, *souriant*

T'es ben innocent! T'en as parlé pendant tout le trajet, de ton maudit Nintendo, pis tu penses même pas à le prendre avec toi!

Mathieu attrape son fils par le collet.

MATHIEU

C'est-tu correct, Sébastien? La maison?

SÉBASTIEN

Ça fait un peu dur mais ça sent bon...

Sébastien sort côté jardin. Mathieu regarde le coucher du soleil.

VICTOIRE

Le temps des mouches noires est fini. On va pouvoir s'intaller su'a galerie. La pipe de Josaphat va éloigner les maringouins. *(Elle regarde le soleil. Elle sourit.)* C'est ça, couche-toé, vieux verrat. T'as faite ta job pour aujourd'hui. Comme nous autres. *(Elle regarde dans la direction de Josaphat.)* Enfin, comme moé. *(Elle s'asseoit sur la première marche de la galerie.)* J'aime ça quand le plancher est encore chaud, comme ça. On n'a pas besoin de chaise, pis on dirait que le bois est plus doux. Pis y'est pas trop chaud comme à midi, y'est juste tiède. Ça veut dire que la journée est enfin finie. J'aimerais ça qu'y soye toujours une demi-heure avant que le soleil se couche. Y me semble que le monde irait mieux.

Jean-Marc est venu se placer derrière Mathieu.

JEAN-MARC

Qu'est-ce que tu fais?

MATHIEU

Avant de te connaître, je regardais jamais le ciel. C'est drôle, hein? C'est toi qui m'as montré ça. En tout cas, ici, j'vais pouvoir en profiter parce qu'y'est immense!

JEAN-MARC

Ça va-tu être correct? La maison?

MATHIEU

Ça fait un peu dur. Mais ça sent bon.

Après quelques secondes le violon s'arrête. Jean-Marc et Mathieu referment la porte de la maison. Arrivent la grosse femme, Albertine et Édouard, croulant sous les bagages. Ils sont vêtus très 1950.

ÉDOUARD

Une demi-heure de plus pis mon cul était définitivement inutilisable!

ALBERTINE

Édouard, franchement! Tu nous avais promis de pas faire de farces cochonnes de la semaine! Tu t'es retenu dans le char, ben continue...

ÉDOUARD

Qui te dit que c'est une farce cochonne? J'ai comme l'impression que t'es moins innocente que tu veux nous le faire croire, ma p'tite sœur chérie! J'ai peut-être juste le cul en compote, c'est toute! Ça peut arriver à n'importe quel homme qui vient de passer quatre heures dans un vieux bazou, t'sais! Pis à n'importe quelle femme, aussi! T'as pas le cul en compote, toé?

LA GROSSE FEMME

Bon, faudrait-tu que je commence déjà à faire l'arbitre, là? *(À Édouard:)* Va donc porter tes valises su'a galerie au lieu de t'épuiser à dire des niaiseries...

Mathieu sort de la maison.

MATHIEU

Qu'est-ce que tu fais, Sébastien? C'est ben long?

VOIX DE SÉBASTIEN

J'arrive pas à ouvrir la porte de la voiture!

MATHIEU

Bon... Arrête de t'énerver, aussi, on vient d'arriver!

Il descend les marches, sort à son tour.

ALBERTINE

J'espère qu'y reste encore de l'huile dans les lampes. Y va faire noir ça sera pas long. Pis j'haïs ça, ces maisons-là, quand y commence à faire noir...

LA GROSSE FEMME

Inquiète-toé pas, on a apporté de l'huile à lampe pour trois ans... J'espère qu'y'a des lampes, par exemple...

ALBERTINE

Hein! Faites-moé pas peur...

LA GROSSE FEMME

Bartine, franchement! C't'une farce!

ALBERTINE, *montrant son frère*

C'est ça, mettez-vous de son bord! Ça va être une maudite belle semaine!

ÉDOUARD

On t'avait pas dit ça qu'on t'avait amenée icitte juste pour te faire enrager? On a décidé de te faire exploser une fois pour toutes avant la fin de la semaine... Moé j'ai gagé que ça arriverait avant mécredi mais notre belle-sœur, généreuse comme toujours, a dit que tu tiendrais jusqu'à vendredi...

LA GROSSE FEMME, *complice*

Édouard... On avait dit qu'on commencerait pas avant demain...

ÉDOUARD

C'est plus fort que moé, ça me démange!

ALBERTINE

Continuez de même, j'vas exploser tu-suite, pis on va passer la semaine comme chiens et chats...

ÉDOUARD

Tiens, en parlant de chat...

Mathieu et Sébastien reviennent. Mais Sébastien, sans pour autant s'être transformé physiquement, est aussi devenu Marcel. Il deviendra aussi Gabriel plus tard. Mathieu transporte le Nintendo. Marcel porte à bout de bras une cage d'oiseaux vide. Après une belle envolée le violon s'arrête.

MATHIEU, *mi-moqueur*

J'aime autant le transporter moi-même, tu serais capable de t'enfarger dans une roche... R'garde un peu le soleil se coucher pendant que je plogue le monstre. Ça va te montrer c'que c'est, un peu, la campagne, avant que tu te plonges definitivement le nez dans la télévision pour le reste de notre séjour...

SÉBASTIEN

J'ai apporté mon costume de bain pis j'ai l'intention de m'en servir, tu sais, papa...

Mathieu lui sourit, puis entre dans la maison.

ALBERTINE

Moé, quand j'le vois arriver avec sa cage à moéneaux vide...

MARCEL

C'est pour Duplessis...

ALBERTINE

Je le sais que c'est pour Duplessis, c'est ben ça qui me rend folle!

MARCEL

J'avais peur qu'y soye malade pis j'voulais pas qu'y fasse de dégâts... Pis on n'a pas trouvé de cage à chat, ça fait que j'ai pris la vieille cage à moéneaux de grand-moman Victoire... Duplessis, ça y fait rien... *(En regardant dans la cage:)* Hein, Duplessis?

Albertine lance un soupir d'exaspération.

LA GROSSE FEMME

Marcel, on a accepté que t'emmènes Duplessis avec toé à condition que t'en parles pas pis que tu y parles pas. En tout cas, pas devant ta mère.

MARCEL

C'est pas moé qui en parle, c'est elle!

ALBERTINE

J'ai pas parlé de ton chat, moé!

MARCEL

Non, mais t'as parlé de sa cage!

ALBERTINE

Bon, ben c'est ça, c'est encore de ma faute...

Édouard, veut s'emparer de la cage d'oiseaux.

MARCEL

Non, non, j'vas la garder avec moé...

ALBERTINE

Marcel, tu vas pas passer la semaine avec c'te cage-là accrochée au bout du bras!

ÉDOUARD, *à Marcel*

Y faut rentrer les bagages, Marcel. J'vas la mettre sur la table de la salle à manger...

MARCEL

Non, non, j'veux pas que vous touchiez à ça, vous!

ÉDOUARD

Pourquoi pas?

MARCEL, *regardant sa mère*

J'veux pas, c'est toute...

ÉDOUARD

C'est ta mère qui t'a prévenu contre moi? Ben laisse-moi te dire une chose, mon p'tit gars... À ta place, moi, c'est d'elle que j'me méfierais...

ALBERTINE

Édouard!

Édouard s'est accroupi à côté de Marcel.

ÉDOUARD

Y me dérange pas ton chat, moi, Marcel... Tu peux m'en parler tant que tu voudras... On ira prendre des marches, tous les trois ensemble, si tu veux... Pis j'voudrais ben la voir essayer de nous en empêcher, elle...

MARCEL

Vous le voyez, vous, Duplessis?

ÉDOUARD

Non. J'le vois pas. Mais j'peux faire comme si j'le voyais si tu veux...

MARCEL

Okay...

Il laisse Édouard prendre la cage. Édouard monte les marches du perron.

ÉDOUARD

La suite du drame à l'intérieur, s'il vous plaît, mesdames... Faut s'installer avant qu'y fasse noir,

sinon la pauvre tite Albertine va faire des gros cau-
chemars... Est tellement délicate!

*Albertine, la grosse femme et Édouard entrent dans
la maison. L'enfant est venu s'installer à côté de
Victoire.*

VICTOIRE

D'où c'est que t'arrives amanché de même,
Gabriel? T'as encore été au bord du crique?

GABRIEL

J'ai vu une couleuvre. Mais è'tait trop loin dans
l'eau, j'ai pas été capable de l'attraper.

VICTOIRE
lui montrant le coucher du soleil

'Gard' ça si c'est beau...

GABRIEL

Vous voulez toujours que je regarde ça, vous pis
mon oncle Josaphat... C'est toujours pareil!

VICTOIRE

C'est jamais pareil, Gabriel! Y faut apprendre à
regarder ces affaires-là! *(Pour elle-même:)* J'te dis
que t'es pas comme ton pére, toé. Autant y'a le nez
dans les étoèles, autant tu traînes le tien dans la
grosse terre noère ou ben donc dans l'eau du lac
Simon.

Josaphat revient sur les entrefaites.

VICTOIRE

Tiens, en parlant du yable...

JOSAPHAT

En parlant du yable, Gabriel, tu l'arais pas vu passer? J'l'ai vu qui se faufilait par icitte, y'a à peu près une demi-heure...

GABRIEL

Hein!

VICTOIRE

Josaphat, s'il vous plaît...

JOSAPHAT
mimant ce qu'il raconte

J'sais pas si quelqu'un y'avait fait mal ou quoi mais y boitait, pis y tirait d'la patte... R'garde, comme ça, là: «Attendez-moé donc, attendez-moé donc...»

Gabriel rit.

JOSAPHAT

T'arais moins ri si tu l'arais vu, mon p'tit gars... Moé, y'a peur de moé, pis y'a continué son chemin quand y m'a vu, mais si ç'arait été toé...

Il s'approche de Gabriel en boitant.

GABRIEL
qui voit ce qui s'en vient

Non, non, mon oncle Josaphat, pas ça, pas ça...

Au grand ravissement du petit garçon, Josaphat se jette sur lui et se met à le chatouiller. Une véritable scène de chatouillage s'engage sur la galerie, sous les protestations de Victoire.

VICTOIRE

Josaphat, s'il vous plaît... Arrête... Tu vas l'énarver, là, pis y sera pus tenable... Y pourra pus dormir...Josaphat! J'te parle!

La séance se termine dans l'épuisement des deux partenaires.

JOSAPHAT

Ouf... J'ai chaud...

GABRIEL

Moé 'si...

VICTOIRE

J'vas aller charcher des verres d'eau dans' maison... mais buvez pas trop vite...

Pendant qu'elle parlait, Jean-Marc et Mathieu sont sortis avec de vieilles chaises de rotin.

JEAN-MARC

J'pensais jamais que ces chaises-là existaient encore. Celle-là, c'tait ma favorite... È'tait trop grande pour moi pis j'avais l'impression d'être un roi quand j'm'installais dedans... Mes pieds touchaient pas à terre, j'avais de la misère à poser mes bras sur les accoudoirs...

Il s'asseoit.

MATHIEU

Es-tu vraiment sûr que c'est la même?

JEAN-MARC, *en souriant*

Laisse-moi le penser...

MATHIEU

En tout cas, j'espère qu'on peut vraiment s'installer dehors, que c'est pas le festival international de la mouche noire...

JEAN-MARC

Non, non, le temps des mouches noires est fini. C'est les maringouins, en juillet.

MATHIEU

Des maringouins de deux livres et demie qui partent avec un steak au complet?

JEAN-MARC

Exactement. Mais y'a du vent, ce soir, ça devrait pas être si mal...

MATHIEU

J'ai apporté du Muskoil. C'est vraiment pas romantique, hein? Sentir si mauvais dans un si beau paysage!

JOSAPHAT

Aimerais-tu ça aller rester en ville, Gabriel?

GABRIEL

En ville? À Saint-Jérôme?

JOSAPHAT

Non, non, dans la vraie ville. À Morial.

GABRIEL

Y'a trop de monde, à Morial.

JOSAPHAT

Comment ça se fait que tu sais ça, toé, qu'y'a tant de monde à Morial? Ta mère t'en a déjà parlé, hein? Pis a' t'a dit de faire l'innocent...

Gabriel regarde en direction du coucher du soleil.

GABRIEL

'Gardez ça comme c'est beau...

Josaphat rit.

JOSAPHAT

T'es pas ben bon dans l'actage, Gabriel. Si jamais on va rester à Morial, tu finiras pas aux «soirées de famille» certain!

Victoire sort de la maison avec deux verres. On entend un hurlement dans la maison.

VOIX D'ALBERTINE

Une araignée! Y'a une araignée dans ma chambre!

VOIX D'ÉDOUARD

Tu t'installeras dans' mienne, Bartine, y'a juste des mulots!

VICTOIRE

Buvez pas trop vite, l'eau frette ça donne des coliques.

Josaphat a prononcé les mêmes paroles tout bas en grimaçant. Gabriel et lui rient. Victoire sourit.

JEAN-MARC

Mon père me contait que c'est ici, juste devant la maison, que son oncle Josaphat improvisait ses plus belles histoires... Enfin, son oncle, c't'une façon de parler...

La lumière a baissé pendant les dernières minutes.

MATHIEU

C't'un peu angoissant quant le soleil disparaît complètement en arrière d'la montagne, tu trouves pas? Entourés de montagnes, comme ça... on est comme... On est comme dans un trou...

JEAN-MARC

C'en est un, en fait... Le lac Simon est un ancien cratère de volcan... Pis juste là, là, à droite, y'a un ruisseau qui se jette dedans... Ma grand-mère appelait ça un crique, probablement à cause du mot creek... Viens voir...

Ils se lèvent, passent entre Gabriel et Josaphat, se dirigent côté cour.

JEAN-MARC

Fais attention, ça descend très abruptement. Y'avait une passerelle qui partait d'ici pis au bout y'avait un puits suspendu, avec une corde, une poulie, un seau. Ça fait que quand on allait chercher de l'eau, au lieu de se pencher sur un trou noir, on se penchait sur un trou de lumière pis de feuillage avec un crique au fond pis le ciel qui se reflétait dedans... C'tait comme... le contraire d'un puits. Tu comprends, tu marchais dans les airs pour aller puiser de l'eau... Pour un p'tit gars d'la ville, c'tait quequ'chose...

MATHIEU

On devrait en faire construire un neuf. Mon Dieu, j'dis ça comme si on allait passer le reste de nos jours ici...

JEAN-MARC

L'eau est probablement pus buvable...

VOIX DE LA GROSSE FEMME

Que c'est qu'on fait avec la bouteille de lait? Y fait chaud sans bon sens dans' maison...

VOIX D'ÉDOUARD

J'vas aller la porter dans le crique...

VOIX D'ALBERTINE

Mon Dieu, tu parles comme moman...

Édouard sort.

ÉDOUARD

Ouan, pis j'ai son sens pratique, aussi...

VOIX D'ALBERTINE

Ouan... C'est juste si tu portes pas ses robes, aussi...

Édouard fige un instant.

ÉDOUARD, *tout bas*

Tiens, c'est la première fois que tu fais allusion à ça...

Il passe à son tour entre Gabriel et Josaphat, contourne Jean-Marc et Mathieu, disparaît dans le crique.

ÉDOUARD
pour se donner du courage

Si j'me casse pas la yeule pis si j'rencontre pas d'ours, je r'donne mon âme à Dieu pis j'rentre chez les Franciscains. Non, chez les Dominicains, sont plus cute. Une belle p'tite robe blanche, ça irait bien à ma complexion de rousse... Bonyeu que j'ai peur... J'arais dû descendre la maudite bouteille par le puits, aussi... AYOYE!

La grosse femme sort de la maison.

LA GROSSE FEMME

T'es-tu faite mal, Édouard?

ÉDOUARD

Non, j'pourrai pus jamais avoir d'enfant, c'est toute!

Édouard revient pendant qu'Albertine sort à son tour.

ALBERTINE

C'est fou, hein, j'ai vraiment peur, tu-seule dans' maison!

ÉDOUARD

Y'a de quoi! D'un coup tu te rencontres dans un coin noir!

Ils regardent tous les huit en direction du soleil couchant. Ils figent assez longtemps.

JOSAPHAT

On appelle ça le coucher du soleil, mais c'est pas le vrai coucher du soleil...

GABRIEL

Non?

JOSAPHAT

Non... Tu vois, icitte on est entourés de montagnes, ça fait que quand le soleil se couche pour nous autres, y'est encore haut pour ceux qui ont pas de montagnes autour d'eux autres...

GABRIEL

Ça veut dire qu'on a le coucher du soleil avant tout le monde?

JOSAPHAT

Non, ça veut dire que nous autres on n'a jamais le vrai coucher du soleil.

Albertine, la grosse femme et Édouard entrent pendant que Jean-Marc et Mathieu retournent s'asseoir dans leur chaise.

VICTOIRE

Va falloir que t'ailles te coucher ben vite, mon homme...

JOSAPHAT, *ironique*

À qui tu parles?

VICTOIRE

Josaphat, franchement, devant le p'tit...

Victoire, Josaphat et Gabriel sont assis sur la plus haute marche de la galerie.

Une dernière flambée de lumière d'après coucher de soleil envahit la scène. Tout est d'un rouge violacé un peu fantastique.

GABRIEL

As-tu déjà été à Morial, toé, mon oncle Josaphat?

JOSAPHAT

Si j'ai déjà été à Morial? Mais des dizaines de fois! Des centaines de fois!

GABRIEL

Hein! Pas vrai!

JOSAPHAT

Sûr comme chus là, mon p'tit gars! *(Avec un petit sourire:)* Pis toé avec!

GABRIEL

Moé avec!

JOSAPHAT

Certainement! J't'ai jamais conté ça?

GABRIEL
se doutant qu'une histoire s'en vient

Ben non!

VICTOIRE

Fais attention à c'que tu vas dire, Josaphat.

JOSAPHAT, *moqueur*

Si tu veux pas entendre l'histoire des voyages de Gabriel à Morial, Victoire, tu peux toujours rentrer dans' maison!

VICTOIRE

Tu vas parler tellement fort que j'vas t'entendre pareil!

Elle vient s'asseoir à côté de son fils.

VICTOIRE

Après ça, ca va être le dodo, Gabriel!

GABRIEL

Ben oui, ben oui.

On entend la musique que Josaphat improvisait au début de la pièce.

JOSAPHAT

La maison qui est derrière toé, Gabriel... L'as-tu déjà ben regardée, c'te maison-là? Hein? *(Il prend Gabriel par la main et le place face à la maison.)* C'te maison-là, là, mon p'tit gars, ben c'est pas une maison ordinaire! T'as jamais remarqué qu'a'l' avait quequ'chose que les autres maisons ont pas? Hein?

GABRIEL

Le puits à l'envers avec le crique en dessous?

JOSAPHAT

Non, non, pas les alentours, la maison elle-même! Mais... peut-être que ça se passe juste quand tu dors. *(Il fait un clin d'œil à Victoire.)* Oui, j'pense que tout ça paraît juste quand tu dors... Mais j'vas te le conter pareil. Écoute ben ça... C'te maison-là, là, est pas posée sur la butte comme les autres maisons sont posées sur leurs terres... Tu vas chez Ti-Poil Chevrette, à côté, pis tu te dis: «Tiens, v'là une maison renfoncée dans un creux de forêt, dans un trou qui a pas de bon sens, comment c'qu'y font pour voir dans c'te maison-là, y doivent pas avoir de lumière...» Ou ben donc tu vas chez Jos Simard qui reste quasiment *dans* le lac Simon pis c'te fois-là tu te dis: «Sont ben que trop proches de l'eau, ça doit être dangereux quand le lac cale au printemps!» Mais quand t'arrives devant notre maison, si belle sus sa butte, comme sus le bout des pieds pour voir si le paysage est toujours aussi beau, t'as pas l'impression qu'est posée sur son terrain comme les autres maisons... Quand t'arrives de Duhamel, tu peux la voir qui flotte au-dessus des sapins... T'as jamais remarqué ça?

GABRIEL

Oui, tu me l'as souvent dit...

JOSAPHAT

Ben sais-tu pourquoi, mon p'tit gars, que t'as l'impression qu'a' flotte au-dessus des sapins?

GABRIEL

Non.

JOSAPHAT

Viens icitte...

Ils reculent de quelques pas.

JOSAPHAT
choisissant ses effets

R'garde sus le toit... Ça paraît pas encore à c't'heure-citte parce qu'y fait trop clair...mais... y'a une corde qui part du toit pis qui monte jusqu'au ciel! Pis au bout de la corde, y'a une ancre de bateau! Notre maison est pas posée sur la terre, Gabriel, notre maison est suspendue au bout d'une corde pis d'une ancre de bateau plantée dans le ciel! Des fois, pendant les orages d'été ou ben donc les tempêtes de neige, l'hiver, l'ancre de bateau s'accroche à toutes sortes d'affaires, pis la maison brasse... Tu l'as déjà sentie se faire brasser, hein?

GABRIEL, *fasciné*

Ben oui!

JOSAPHAT

Encore la semaine passée, on t'a retrouvé dans le fond d'un garde-robe après le fameux gros orage parce que t'avais peur que la maison s'écroule sus nous autres comme un château de cartes... Ben aie pas peur, mon p'tit gars, c'te maison-là s'écroulera jamais parce que c'est par en haut qu'est accrochée! Pis l'ancre est solide. Y'a rien de plus solide que le ciel. *(Silence, puis changement de ton.)* Pis des fois, là, les fins de semaine, quand y'a des veillées chez ma tante Blanche à Saint-Jérôme ou ben donc chez ma tante Ozéa à Morial... Sais-tu c'que j'fais? T'en reviendras pas... Écoute ben ça, mon p'tit gars... J'sors su' l'balcon avec mon violon, j'm'assis sus ma chaise en la tournant vers le nord... pis j'joue «La gigue du yable en vacances», en tapant du pied, pis en faisant le plus de train possible! J'veux qu'y m'entendent comme faut, tu comprends!

GABRIEL

Qui, ça?

JOSAPHAT

Tu'es connais, j't'en ai déjà parlé! Ceux qui vendent leur âme au yable pour avoir d'la boèsson pis des femmes, les fins de semaine...

VICTOIRE

Josaphat, y'a onze ans...

JOSAPHAT
emporté par son histoire

Ceux de la Chasse-Galerie, les damnés, les parias, qui sont rendus fous par la cabine fever pis qui sont prêts à n'importe quoi pour avoir un peu de fun... Des fois chus obligé de jouer pas mal longtemps mais j'finis toujours par les entendre venir au loin... J'vois leur canot sortir d'la montagne au bout du lac Simon, un beau grand canot qui vogue dans le ciel, avec six rameurs qui chantent des chansons à répondre pour se donner du courage... Y contournent les nuages, y passent devant la lune en la saluant... Moé, j'saute su'a galerie, j'siffle, j'leu' fais des signes avec mon violon... Y tournent par icitte, y'approchent... les v'lons!

GABRIEL

Les v'lons!

JOSAPHAT

«Que c'est que tu veux?», qu'y disent avec leurs grosses voix de gars déjà pas mal paquetés... «J'ai une veillée, à soir, pis c'est pas mal trop loin pour y aller en boghei!» Ça fait que là, tu me croiras pas, Gabriel, mais j'te jure que c'est la vérité pure, les gars accrochent l'ancre de bateau après leur canot... Pis le canot essaye de repartir... Y'a un peu de misère, au commencement, tu comprends, ça le bloque... Y se dit: «Voyons donc, que c'est qui se passe, chus ben pésant tout d'une coup...» Y tire, pis y tire... Les gars rament comme des fous dans le ciel... Tu comprends, une maison, c'est pésant à tirer sans bon sens!

VICTOIRE, *ironique*

Surtout pour un canot...

JOSAPHAT

Pis tout d'un coup, ça craque, ça brasse, ça pète, ça débloque, le canot repart... pis la maison monte dans les airs, tirée par le canot!

VICTOIRE

Josaphat, franchement!

JOSAPHAT

On s'en va sus ma tante Blanche ou ben donc sus ma tante Ozéa! La forêt glisse en dessous de nous autres, Duhamel est tout petit, les Laurentides au grand complet disparaissent dans le noir... La maison se balance tranquillement... Moé pis ta mère on s'installe su'a galerie pis on regarde le ciel passer devant nous autres! D'habetude, c'est un grand trou noir qu'on voit là oùsqu'y'a le lac Simon, mais là c'est la Grande Ourse, pis la Petite Ourse, pis la planète Mars... La maison tourne au bout de sa corde pis on voit le ciel au grand complet passer devant nous autres comme une parade de la Saint-Jean-Baptiste! Pendant tout le voyage la maison se balance un p'tit peu... Juste un p'tit peu. On est ben. C'est pas beau ordinaire! *(Silence. Les trois personnages regardent autour d'eux.)* Quand on arrive sus nos parents, le canot nous dépose à côté de chez eux, bonsoir la compagnie, sortez vos accordéons, poussez les chaises de contre le mur, nous v'lons! Pis là j'te dis que le party pogne! *(Il danse en turlutant, s'arrête comme à la fin d'une histoire.)* C'est comme ça, mon p'tit gars, que t'as souvent été à Morial sans même t'en rendre compte!

GABRIEL
au bord des larmes

Pourquoi vous me réveillez pas! J'aimerais ça voir tout ça, moé aussi!

Josaphat reste decontenancé à peine quelques secondes.

JOSAPHAT

Ben... on te réveille! Souvent! Mais tu t'endors trop, t'es pas capable de rester réveillé! Tu sais comment c'que t'es, toé: quand tu dors, tu dors! On te réveille, tu te lèves, tu vas faire ton pepi, tu dis bonjour à ma tante Blanche ou à ma tante Ozéa. Le lendemain tu nous dis: «J'ai rêvé à ma tante Blanche», ou ben donc «... à ma tante Ozéa...» mais nous autres, moé pis ta mère, on sait que c'est pas un rêve! Pis si on te le disait tu nous croirais pas!

VICTOIRE

Bon, ben en attendant que le yable vienne chercher la maison, on va aller faire dodo, Gabriel...

GABRIEL

Mais comment est-ce qu'on fait pour revenir?

44

VICTOIRE, *ironique*

Ouan, comment est-ce qu'on fait pour revenir, Josaphat?

JOSAPHAT

Ah, euh... D'la même façon! D'la même façon! J'donne rendez-vous au gars qui dirige le canot pis qui a les pieds un peu fourchus, si tu vois c'que j'veux dire, pis y passe nous chercher juste avant que le soleil se lève...

VICTOIRE

Bon, c't'assez, là, y va faire des mauvais rêves...

GABRIEL

Y viennent-tu nous charcher à soir? Si y viennent nous charcher à soir, j'dormirai pas pis j'vas pouvoir m'installer avec vous autres su'a galerie.

VICTOIRE

Bon, tu vois...

JOSAPHAT

Non, non, non... Y viennent pas à soir... On est même pas la fin de semaine... De toute façon... de toute façon, y viennent pus... depuis un bout de temps... Depuis la fois qu'on a failli pas r'venir!

GABRIEL

Hein! On a failli pas r'venir!

VICTOIRE

Josaphat!

JOSAPHAT

La darniére fois... Imagine-toé donc que la darniére fois... ça y'arrive pas souvent, mais le gars qui
a les pieds un peu fourchus, y s'était un peu trop
paqueté... pis y nous a oubliés! On était tou'es trois
pognés à Morial, avec la maison pis toute!

*Victoire fronce un peu les sourcils, se demandant
comment Josaphat va s'en sortir.*

JOSAPHAT

J'étais découragé! Aïe, on était à Morial, en pleine
rue des Fortifications, le monde allaient se réveiller
pour aller à' messe, pis y trouveraient une maison de
campagne dans' cour de ma tante Ozéa! Fallait faire
quequ'chose!

Josaphat a l'air de chercher ses mots.

VICTOIRE

T'as de la misère, là, hein? Tu sais pus comment
t'en sortir...

JOSAPHAT

Sais-tu c'que j'ai faite?

Il gagne visiblement du temps.

JOSAPHAT

Sais-tu c'que j'ai faite?

GABRIEL

Non...

*Josaphat semble avoir trouvé et esquisse quelques
pas de gigue.*

JOSAPHAT

Sais-tu c'que j'ai faite? On était ben... ah, trente ou quarante, dans maison... C'tait une grosse grosse veillée... Ben j'ai faite mettre tout le monde à genoux... pis tout le monde... moé, ta mère, ma tante Ozéa pis mon oncle Tancrède, les autres invités, tout le monde... on a appelé... nos anges gardiens!

VICTOIRE ET GABRIEL

Hein!

JOSAPHAT

Oui, oui, oui, on a appelé nos anges gardiens fort, fort, fort, là, en leu' promettant toutes sortes de niaiseries, là, t'sais, qu'on ferait pus de péchés, pis qu'on ferait nos Pâques douze fois par année, pis qu'on toucherait pus à une seule goutte de boèsson jusqu'à la prochaine fois... Moé, j'ai même été jusqu'à jurer que je couperais la corde qui tient l'ancre qui tient notre maison pour que le maudit canot s'accroche pus dedans! Fallait-tu être désespéré!

VICTOIRE, *moqueuse*

Sont-tu venus, les anges?

JOSAPHAT

Si y sont venus! Trente ou quarante beaux anges gardiens, même le tien, Gabriel, qui était pourtant pas mal endormi, trente ou quarante beaux anges gardiens sont arrivés en rangs d'école pis en chantant des cantiques. Y m'ont demandé c'que j'voulais, j'leur ai expliqué notre problème... *(Silence.)* T'sais, quand y'a ben ben ben des oéseaux qui s'envolent

47

en même temps, dans le bois, parce qu'on les a dérangés... Ben les anges gardiens... y sont sortis dehors... y nous ont demandé de fermer les yeux... on a entendu... un énorme bruit d'ailes... comme si y'araient pus été quarante mais... quarante mille... quarante mille bruits d'ailes ont monté dans le ciel de Morial. C'tait étourdissant... Moé... tu me connais... j'ai ouvert un œil... pis deux... j'me sus approché du châssis... J'voyais juste du blanc qui bougeait de plus en plus vite... Un ouragan de plumes blanches entourait la maison... La maison a tremblé... Mais c'est pas des sacres pis des chansons à répondre qu'on entendait... c'taient des cantiques venus directement du ciel... La maison est partie doucement, pis c'te jour-là, pour une fois, c'est pas le yable qui nous a ramenés à Duhamel!

GABRIEL, *désolé*

As-tu été obligé de couper la corde?

JOSAPHAT

Es-tu fou, toé?

Gabriel est ravi. Victoire secoue la tête.

VICTOIRE

Maudit ratoureux...

JOSAPHAT, *en saluant bien bas*

Ratoureux jusqu'à la fin des temps... pour toé, Victoire, pis pour toé, mon enfant...

VICTOIRE, *troublée*

Dis bonsoir à mon oncle Josaphat, Gabriel... pis va y donner un bec pour le remercier de sa belle histoire...

Josaphat prend Gabriel, le porte à bout de bras...

JOSAPHAT

Aimerais-tu ça que j't'accroche dans le ciel, toé aussi? Avec une p'tite ancre? Tu te balancerais à côté de la maison... pis tu serais éternel!

Il embrasse Gabriel. Ils sont dans le noir. On devine leurs silhouettes: Victoire et Gabriel entrent dans la maison, Josaphat reste debout devant la galerie. Le violon se plaint. On entend un grand cri dans la maison, la porte s'ouvre. Albertine sort en jaquette et bigoudis, suivie d'Édouard, lui aussi en jaquette et bigoudis.

ALBERTINE

Maudit fou, tu m'as faite assez peur! J'pensais que c'était notre belle-sœur qui rentrait dans ma chambre...

ÉDOUARD, *en riant*

J'avais assez hâte! J'préparais ça depuis des semaines... J'y ai emprêté une vieille jaquette qu'a' met pus, j'ai glissé quequ'rouleaux en dessous d'un vieux net à cheveux... et voilà, le miracle s'est accompli... Une autre étonnante composition du talentueux Édouard! J'savais que tu me prendrais pour elle!

ALBERTINE

Aïe, ça fait pas deux heures qu'on est arrivés, pis j'ai déjà eu peur douze fois... Chus au coton!

ÉDOUARD

Ben oui, mais on est en vacances, Bartine... Faut ben rire un peu...

ALBERTINE

Vous autres, vous êtes en vacances... pas moé! Peut-être que j'aimerais ça, rire, moé aussi, mais vous arrêtez pas de rire de moé! Chus quand même pas pour me planter devant le miroir de ma chambre pis rire! J'en ai pas préparé, moé, de farces, excuse-moé... Tu vas me trouver ben plate mais pour moé, être en vacances, c'est pas me déguiser en notre belle-sœur pour faire peur au monde... Ah, pis va te changer, t'as l'air assez fou, amanché de même... On dirait pas que c't'à toé que je parle...

Silence.

ÉDOUARD

Fais comme si c'tait elle pour vrai, ça va peut-être être plus simple...

ALBERTINE

Ça veut dire quoi, ça...

ÉDOUARD

Ça veut dire c'que ça veut dire, c'est toute... Quand on se parle, est toujours là... c'est-à-dire qu'on s'arrange toujours pour qu'a' soit là... pis c'est comme si c'était toujours à elle qu'on parlait... On se regarde pas l'un l'autre quand on se parle, on la regarde, elle... Tu vois, on l'a même emmenée en vacances avec nous autres... comme si on avait peur de se parler directement.

ALBERTINE

Si on se parle pas directement, c'est peut-être parce qu'on n'a rien à se dire.

ÉDOUARD

Y me semble que ça se peut pas, un frère pis une sœur qui ont rien à se dire...

ALBERTINE

Ah, ben, qu'est-ce tu veux, quand y'en a un des deux qui est pas normal...

ÉDOUARD

C'est vrai, j'avais oublié que t'étais pas normale...

ALBERTINE

C'est de toé que je parlais!

ÉDOUARD

Imagine-toé donc que j'm'en doutais! Ton sens de l'humour m'étonnera toujours, Bartine!

ALBERTINE

Pis de toute façon, si notre belle-sœur était pas venue avec nous autres, moé non plus j's'rais pas venue! L'idée de passer une semaine tu-seule avec toé me donne mal au cœur, si tu veux savoir...

Elle entre dans la maison.

ÉDOUARD

M'as finir par la taper...

La grosse femme sort doucement.

LA GROSSE FEMME

J'ai vraiment l'impression d'être une espionne. J'étais là, cachée en arrière d'la porte...

ÉDOUARD

A' vous a pas vue en rentrant, au moins?

LA GROSSE FEMME

J'pense qu'a'l' a eu assez peur pour aujourd'hui.

ÉDOUARD

Ça commence mal, hein?

LA GROSSE FEMME

On peut pas dire que ça annonce très bien, non.

ÉDOUARD

Pourquoi chus toujours malhabile comme ça, avec elle? J'sais pas par quel bout la prendre...

LA GROSSE FEMME

Ça, personne le sait..

ÉDOUARD

Vous, vous avez le tour avec elle... Comment vous faites?

LA GROSSE FEMME

On vit dans la même maison depuis tellement d'années... J'ai appris... j'ai appris à la laisser faire quand y faut la laisser faire, j'suppose... J'ai appris à pas trop m'astiner avec elle...

Silence. La grosse femme rit doucement.

ÉDOUARD

Pourquoi vous riez comme ça?

LA GROSSE FEMME

C'est vrai que tu me ressembles...

Il s'approche d'elle.

ÉDOUARD

Au prochain party d'Hallowe'en du French Casino, on devrait arriver déguisés en sœurs jumelles...

LA GROSSE FEMME

Ou en frères jumeaux.

ÉDOUARD

Non, en sœurs jumelles... C'est pas drôle de se déguiser en homme...

LA GROSSE FEMME

Ça pourrait être drôle pour moi...

ÉDOUARD

Aïe, j'ai une idée! On s'habille en jumeaux, mais vous en gars, pis moé en fille! J'vois déjà la tête que les autres feraient...

LA GROSSE FEMME

Tu pars toujours en peur... J'ai jamais mis les pieds au French Casino, Édouard, j'commencerai pas pour te faire plaisir... Pis surtout pas pour arriver déguisée en homme à un party d'Hallowe'en! C'que je sais du French Casino me vient de ce que tu me contes, Édouard, pis j'veux pas en savoir plus.

Albertine sort, furieuse.

ALBERTINE

C'est ça, sortez donc dehors pour parler dans mon dos, à c't'heure! *(Elle s'arrête.)* Mon Dieu, laquelle est laquelle, là? Y fait tellement noir que j'vous mélange... Vous êtes vraiment malades, tou'es deux, hein...

Elle entre dans la maison.

ÉDOUARD

J'pense qu'on serait mieux de rentrer...

LA GROSSE FEMME

Y'a pas encore de maringouins, j'vas m'asseoir un peu, su'a galerie.

ÉDOUARD

Vous avez raison. Y'est trop de bonne heure pour se coucher. J'vas essayer de convaincre Bartine de sortir.

LA GROSSE FEMME

Pis allume donc plus de lampes... C'est vrai que c'est triste, le soir, c'te maison-là, quand y'a pas de lumière...

ÉDOUARD
prenant une voix de fausset

Bartine, c'est moé, ta belle-sœur, qui rentre... On va jaser... T'aimes tellement ça.

Silence. Josaphat allume sa pipe.

LA GROSSE FEMME

Ça sent l'eau jusqu'ici.

MATHIEU

J'radote peut-être, mais c'est vrai que c'est plate de savoir que demain on sentira déjà pus le sapin ni l'eau... J'aimerais ça que ces odeurs-là me restent dans le nez tout le temps qu'on va être ici. T'arrives ici, ça sent bon, ça sent fort... pis deux heures après tu sens pus rien... T'aurais envie de t'éloigner, pis de revenir... pour sentir encore...

La grosse femme et Mathieu prennent une grande respiration.

JOSAPHAT

La senteur de mon tabac à pipe va faire sortir Victoire... *(Il se tourne vers la maison.)* Viens, faut que j'te parle.

LA GROSSE FEMME, *assez fort*

Arrivez-vous?

MATHIEU

Ça me fait tellement drôle quand tu me parles de tes histoires de famille...

La porte s'ouvre, Sébastien sort, interrompant son père..

SÉBASTIEN

Neuf heures et demie! J'ai éteint la télévision comme tu me l'avais demandé.

MATHIEU

C'est bien. As-tu brossé tes dents?

SÉBASTIEN

J'ai dit que j'avais éteint la télévision, j'ai pas dit que j'étais prêt à me coucher!

MATHIEU

C'est l'heure...

SÉBASTIEN

C'est les vacances...

MATHIEU
en embrassant Sébastien

De toute façon, les yeux te piquent... Quand tu tapoches des yeux, comme ça, là, c'est qu'y'est temps que t'ailles te coucher...

SÉBASTIEN

Ah, papa... Arrête, tu me chatouilles!

MATHIEU

J'te chatouille pas du tout! Tu voudrais que j'te chatouille... pour t'énerver pis dire ensuite que c'est de ma faute si t'arrives pas à t'endormir... Hein... J'te connais... N'importe quoi pour gagner quequ'minutes...

JEAN-MARC

Laisse-le veiller un peu avec nous autres...

MATHIEU

Mon Dieu... «Veiller»... Ça faisait longtemps que j'avais pas entendu ça...

JEAN-MARC

J'ai dit ça s'en m'en rendre compte... Ça doit être la maison qui déteint...

MATHIEU

D'abord que tu te mettras pas à parler en «rapport que le pére che-nous...»

JEAN-MARC

J'pense que mes grands-parents avaient effectivement un gros accent d'la campagne... mais j'm'en rendais pas compte, évidemment.

SÉBASTIEN

J'pensais à ça, tout à l'heure...

MATHIEU

Coupe pas la parole aux grandes personnes, comme ça, Sébastien, j'te l'ai souvent dit...

SÉBASTIEN

J'y ai pas coupé la parole... Y'avait fini... Hein, Jean-Marc?

JEAN-MARC

Oui, oui. C'est toi qui y'as coupé la parole, Mathieu...

MATHIEU

Bon...

JEAN-MARC

Qu'est-ce que t'avais commencé à dire, Sébastien?

SÉBASTIEN

En jouant avec mon Nintendo, j'ai eu une ben bonne idée... J'pense que j'vas m'en inventer un...

JEAN-MARC

Un quoi?

SÉBASTIEN

Un jeu vidéo, c't'affaire! Ceux que j'ai, j'les connais par cœur... Pis ceux qu'on loue sont plates... Pis j'aimerais ça en avoir un à moi tout seul... Chus tanné des princes, pis des princesses, pis des labyrinthes... Ça se passerait à l'école... Dans la cour d'école... Y'aurait un méchant p'tit garçon qui veut toujours battre les autres, pis un bon p'tit garçon qui voudrait venger ses amis... Pis pour pouvoir battre le méchant, le bon serait obligé de passer à travers toutes sortes d'épreuves... Pis à la fin, là...

MATHIEU, *en riant*

C't'une très bonne idée... Tu t'y mettras demain matin... On a apporté en masse de quoi dessiner.

JEAN-MARC

J'vas t'aider...

SÉBASTIEN

Non, non, j'ai pas besoin d'aide... Ben peut-être un peu pour le français, là, quand va venir le temps d'écrire le livre pour expliquer comment ça marche...

Jean-Marc et Mathieu rient discrètement.

MATHIEU

C'est ça, on reparlera de tout ça demain... En attendant, les becs, le pyjama, le dodo, pis pas de chatouillage... Veux-tu que j'aille te reconduire dans ta chambre?

SÉBASTIEN

Chus pas un bébé!

Ils les embrasse et rentre.

SÉBASTIEN

À demain...

MATHIEU ET JEAN-MARC

À demain...

Josaphat s'est approché de la maison.

JOSAPHAT

J'aime tellement c't'enfant-là...

Silence.

MATHIEU

J'aime tellement c't'enfant-là, Jean-Marc...

JOSAPHAT

Que ça fait quasiment mal.

Mathieu se lève, descend les marches de la galerie.

MATHIEU

Que ça fait quasiment mal.

JOSAPHAT

Y faut que j'me retienne pour pas...

MATHIEU

Y faut que j'me retienne pour pas le dévorer! *(Il sourit.)* C'est vrai!

JOSAPHAT

...pour pas le dévorer!

MATHIEU

Mon enfant!

JOSAPHAT

Mon enfant!

MATHIEU

Quand j't'entends conter tes histoires de famille, avec les oncles, pis les tantes, pis les cousins, toute cette vie-là, tous ces malheurs-là, pis que je pense à Sébastien... *(Silence.)* J'ai peur que Sébastien manque de famille, Jean-Marc, comme moi j'ai manqué de famille! C'est mon seul enfant pis c'est assez évident que j'en ferai pas d'autres, hein? J'ai peur qu'y se sente tout seul avec moi comme j'me suis senti tout seul avec ma mère... Quand je pense à mon enfance... j'revois ma mère penchée au-dessus de la table de cuisine pis qui me dit: «Finis ton verre de lait...»

JOSAPHAT

J'le faisais quand y'était petit...

MATHIEU

«Finis ton verre de lait, ça fait grandir...»

JOSAPHAT

J'le dévorais des pieds à' tête... J'y mordais les fesses quand j'y changeais ses guénilles, j'y mordais les pieds quand j'le lavais, j'y faisais des bruits de pets sur le ventre...

MATHIEU

C'est le matin, y'est huit heures et dix... C'est le temps de partir pour l'école pis j'ai pas le goût... Ma mère est partie avant moi... Elle avait trois autobus à prendre pour aller travailler...

JOSAPHAT

C'tait rendu qu'y voulait toujours que ça soye moé qui s'en occupe...

MATHIEU

Ma mère aussi était une héroïne, Jean-Marc, mais personne l'a jamais su! *(Silence.)* On a vécu tout seuls tous les deux pendant des années, elle à s'échiner pour m'élever d'une façon décente pis moi...

JOSAPHAT

Y'avait juste mon oncle Josaphat dans le monde...

MATHIEU

Mon grand fantasme quand j'étais enfant c'tait d'avoir une énorme famille comme la tienne, justement. J'comprenais pas que ma mère ait sacré mon père là pour m'élever toute seule dans un trois et demie... J'm'inventais des frères, des sœurs, j'multipliais les pièces d'la maison... J'm'inventais un père aussi... Un père présent, pis aimant. Un prince charmant de père que j'aimais... comme j'aime mon fils aujourd'hui... au point de vouloir le manger.

JOSAPHAT

Pis j'voudrais pouvoir continuer à m'en occuper comme je l'ai toujours faite. L'emmener à' pêche sur le lac Simon, l'été, à la fausse chasse à l'orignal, l'automne, parce qu'y veut pas tuer d'animaux pis moé non plus... Y conter des histoires à pus finir, des histoires de yables, pis de canots d'écorce, pis de loups-garous qui rôdent autour d'la maison parce que je sais que ça y fait pas peur pis que ça le fait rêver. J'voudrais le regarder grandir, devenir un homme, pis pouvoir finir par y dire...

MATHIEU

Chaque membre de ma famille inventée avait un nom. J'leur parlais, j'me chicanais avec eux autres, j'me battais avec eux autres, pis après on se tombait dans les bras en pleurant. J'vivais vraiment avec eux autres. J'exaspérais ma mère avec c'qu'elle appelait mes idées de fou... Mais j'avais besoin de tout ça pour survivre! Y'a rien de pire que d'être un enfant unique, Jean-Marc!

Il se tourne vers la maison.

JOSAPHAT

Pouvoir finir par y dire!

MATHIEU

Quand j't'ai rencontré pis que j'me suis rendu compte que tout ça existait pour vrai, pis à quel point c'était important pour toi, j't'en ai voulu, Jean-Marc. D'avoir vécu mon rêve... d'avoir des souvenirs collectifs, des souvenirs qui remontent au début du siècle... d'avoir tant de choses à raconter... Moi, j'avais rien à te raconter sur ma famille... Ma famille a pas de mémoire. Y'a pas de maison suspendue dans ma vie. Pis j'ai fait juste un enfant. Comme ma mère. C'est vrai qu'à l'époque j'pensais en faire d'autres... Y'était pas question que Louise et moi on fasse juste un bébé... On allait... On allait repeupler le Québec à nous autres tout seuls... Mon Dieu. Tout ça est dans une autre vie. Mon enfance. Mon mariage. C'est drôle, hein, chus vraiment heureux pour la première fois de ma vie mais j'ai peur. Pour mon enfant. J'ai peur que mon enfant soit pas heureux avant d'avoir trente ans lui non plus... parce que, comme ma mère, j'y aurai pas donné de famille. Ni de mémoire. J'ai peur d'être heureux à son détriment.

JEAN-MARC

Y'en a une famille, avec sa mère, son beau-père, son demi-frère...

MATHIEU, *très fort*

Si tu savais comme chus jaloux d'eux autres, Jean-Marc! Quand Sébastien mange ses céréales, le matin, y'a un père à côté de lui, pis un p'tit frère... pis moi chus pas là! C't'avec moi que je voudrais qu'y vive tout ça!

Il remontent tous les deux sur la galerie, Mathieu près de Jean-Marc, Josaphat au côté opposé où se tiennent Jean-Marc et Mathieu.

JOSAPHAT

Mais à quoi ça sert de ressasser tout ça... On va s'en aller en ville, y va trouver un vrai père qui va l'élever comme un vrai enfant, une famille, une vie normale... *(Silence.)* Chus capable de faire lever la lune tou'es soirs, mais chus pas capable de garder mon enfant!

MATHIEU

Excuse-moi. C'est passé.

JEAN-MARC

Veux-tu qu'on rentre?

MATHIEU

Non, non, on est bien ici. De toute façon, j'pourrais pas dormir.

Josaphat se met à hurler comme un loup. Victoire sort.

MATHIEU

As-tu entendu? Y'a même des loups dans le coin?

JEAN-MARC

C'est la première fois que j'entends ça...

VICTOIRE

Josaphat, tu vas réveiller le p'tit!

JOSAPHAT

Ben non, je l'aide à rêver...

MATHIEU

J'voudrais être son père, sa mère, ses frères, ses sœurs... tout en même temps, tu comprends... J'voudrais que sa vie soit pleine de ma présence. Parce qu'on n' est pas assez souvent ensemble. Pis tout ce que j'arrive à faire quand y'est là, c'est être trop agressif avec lui. Au lieu d'y lancer mon amour, de le couvrir de mon affection, y m'arrive trop souvent de me retenir, de m'en vouloir, pis d'être bête avec lui. J'y défends toute... j'y pompe l'air... J'aime tellement l'entendre rire, pourtant! Des fois y'est dans sa chambre, y regarde la télévision ou ben y joue avec le maudit Nintendo, tout est silencieux, y'est concentré, pis tout d'un coup son rire monte dans' maison... Tellement... tellement vrai! C't'un rire sans problème, sans questionnement, c't'un rire pour le pur plaisir de rire! J'peux pas te dire c'que ça me fait, Jean-Marc... Si j'me retenais pas, j'irais dans sa chambre pis j'y dirais: continue, arrête pas, arrête pus jamais, ris, Sébastien, ris, ça m'aide à vivre! Mais chus pas capable de faire ça. Je l'aime au point d'avoir envie de le dévorer mais j'me retiens trop. J'me retiens trop avec lui, j'me retiens trop... Aïe, on est mal faite, hein...

JOSAPHAT

Viens me voir, un peu...

VICTOIRE

Le p'tit dort pas encore...

JOSAPHAT

On f'ra pas de bruit... J'veux juste que tu t'approches.

Victoire s'approche de Josaphat. Il la prend par la taille. Elle s'appuie contre lui.

JOSAPHAT

Une belle nuit de même, faut regarder ça en face...

VICTOIRE, *désespérée*

Que c'est qu'y font, en ville, Josaphat, quand y fait beau de même? Y regardent les cheminées d'usine?

LA GROSSE FEMME

On est mal faite, hein. En ville j'me casse le cou tou'es soirs, l'été, pour essayer d'apercevoir des étoiles de mon balcon. Quand y fait ben noir, quand tout le monde ont éteint leurs lumières, après minuit, j'en vois... J'les compte, j'essaye de trouver la Grande Ourse, pis la P'tite Ourse, comme me l'avait montré mon oncle Josaphat avant que j'me marie avec Gabriel... Pis quand j'les trouve j'viens toute excitée... J'descends sur le trottoir, des fois, j'me mets même dans le milieu de la rue pour mieux voir... Sont là entre les deux rangées d'arbres, j'me dis qu'y me regardent comme j'les r'garde... pis ça me rassure. Mais quand j'arrive ici... Le premier soir, j'ai toujours peur de regarder le ciel, quand j'arrive ici... Un coup que le soleil est couché, on dirait que j'ai peur de regarder plus haut que le sommet des montagnes... Pourtant, y'a rien à voir, en bas. Un trou noir avec le p'tit ruban jaune du chemin qui mène à Duhamel, c'est toute. Non, c'qu'y'a de plus beau est en haut. Mais j'ai peur. Parce qu'y'en a trop. Y'en a trop, d'étoiles, ici, ça me fait peur. En ville on peut toujours s'imaginer que c'est juste des p'tits clous dorés plantés dans un rideau de velours noir, ou ben donc on peut très bien rien penser pantoute parce qu'on est trop préoccupé. On regarde ça, on trouve ça beau tout en pensant aux trois repas du lendemain, au lavage, au repassage... Une femme debout au beau milieu de la rue Fabre pis qui compte les étoiles en pensant aux repas du lendemain, c'est ça que chus, en ville. Mais ici... *(Elle lève brusquement les yeux vers le ciel, presque involontairement.)* Ah! J'haïs ça, y'en trop! Ça m'écrase! Mais en même temps c'est tellement beau! C'est pas juste des p'tits clous dorés par-ci par-là, comme en ville... Y'en a... des milliards... On n'arrive pus à trouver celles qu'on connaît tellement y'en a... Y'a des... y'a des traînées d'étoiles d'un bord à l'autre du ciel... pis y'ont l'air tellement proches que j'ai l'impression que si je levais le bras... pis que j'donnais un petit coup avec la main... tout se mettrait à tourner... C'est fou de penser des affaires de même, hein? Comme si j'étais capable de faire tourner le monde à moi tu-seule! Mais ceux qui restent ici, ceux qui passent leur vie ici, comment y font pour pas mourir de peur en dessous d'un ciel pareil? Y viennent-tu qu'y le voyent pus comme nous autres on entend pus le bruit d'la ville? *(Elle se tord un peu plus le cou.)* Pourquoi y'en a tant? Pourquoi c'est pas comme quand on était petit pis qu'on pensait que le monde est simple? C'est trop compliqué, tout ça! Toute c'te mécanique-là, à quoi ça sert? Que c'est que j'ai d'affaire là, moi, si tout ça existe pour vrai? Ça se peut pas que tout ça me regarde!

JOSAPHAT

Si on veille jusqu'au p'tit matin...

VICTOIRE

Ben oui, ben oui, je le sais... La grande comète... Si on veille jusqu'au petit matin, on va voir la comète de Halley.

JOSAPHAT

Ça t'intéresse pas? Si on la manque, on la reverra pas avant soixante-quinze ans! On va avoir cent quequ', on verra pus rien, pis on va se dire... «Ah, si on l'avait guettée, c't'année-là, aussi...»

Elle le regarde.

VICTOIRE

Y'a des choses plus importantes dans notre vie, ces temps-citte, que la grande comète, Josaphat...

La grosse femme se lève, descend les marches de l'escalier, fait quelques pas, s'arrête.

LA GROSSE FEMME

Chus pas la même deboute ici que deboute en ville, parce qu'en ville chus pas sûre que le ciel existe pour vrai tandis qu'ici, c'est moi qui a l'impression de pas exister. *(Elle lève les bras au ciel.)* Pourquoi j'existerais quand y'a tout ça? Juste pour élever une famille? Juste pour élever une famille? J'existerais juste pour élever une famille?

Édouard et Albertine sortent des chaises de la maison.

ALBERTINE

J't'ai dit que j'te parlerais pas tant que tu te seras pas changé!

ÉDOUARD

J't'ai dit que j'me changerais pas tant que j't'aurai pas vue rire!

ALBERTINE

Ben, tu vas rester déguisé de même pour le reste de tes jours!

LA GROSSE FEMME

Bon, v'là les deux insignifiants...

ALBERTINE

Dites-y, vous, que ça a pas de bon sens qu'y reste déguisé de même!

LA GROSSE FEMME

Ça paraît quasiment pas, dans' noirceur.

ALBERTINE

C'pas vrai, sa jaquette est pâle pis on voit rien que ça! Tout ce que je vois c'est vous deux... Vous brillez dans le noir, tou'es deux, dans vos magnifiques jaquettes, j'vous dis que c'est beau rare!

LA GROSSE FEMME

R'garde un peu plus haut, c'est toute...

ALBERTINE

Hein?

LA GROSSE FEMME

R'garde le ciel, c'est ben plus intéressant. Pis ça va te changer les idées...

Albertine lève la tête un très bref instant.

ALBERTINE

Mon Dieu, y'en a donc ben, des étoiles, y'en ont-tu ajouté depuis hier soir? *(À Édouard:)* En tout cas, mets pas ta chaise trop proche d'la mienne...

ÉDOUARD

T'aimes pas mon parfum?

ALBERTINE

Tu t'es quand même pas parfumé avant de te coucher!

Édouard et la grosse femme se regardent, découragés.

ÉDOUARD

Faire rire ça, c'est comme essayer d'arrêter de faire rire la grosse bonne femme du parc Belmont...

LA GROSSE FEMME

Au moins, la grosse bonne femme du parc Belmont, est ploguée, elle...

ÉDOUARD
relevant la jupe de sa sœur

Es-tu déploguée, Bartine?

ALBERTINE

Ôte tes mains de d'là, toé!

ÉDOUARD

Pour c'qu'y'a à voir...

ALBERTINE

On le sait que ça t'intéresse pas, ça fait que fais pas le smatte!

ÉDOUARD

Ça fait deux fois que tu fais allusion à ça, à soir...

ALBERTINE, *défiante*

À quoi?

ÉDOUARD

Tu veux vraiment qu'on en parle?

Albertine soutient son regard pendant quelques secondes puis détourne les yeux.

ÉDOUARD

Y me semblait ben...

La grosse femme revient s'asseoir sur la marche du haut de l'escalier.

ÉDOUARD

Prenez ma chaise...

LA GROSSE FEMME

Non, non...

ÉDOUARD

J'vas aller vous en chercher une dans' maison...

LA GROSSE FEMME

Non, non, laisse faire, chus ben, ici... En ville, j'aurais l'air d'une vraie folle, assis à terre, mais ici c'est pas grave... personne nous voit. Pis ça me donne l'impression d'être jeune...

ALBERTINE

Si ça vous prend rien que ça pour vous donner l'impression d'être jeune, vous, vous êtes ben chanceuse...

LA GROSSE FEMME

J'me sus souvent assis ici avec Gabriel, quand j'étais plus jeune, c'est ça que je veux dire...

ÉDOUARD

C'est vrai, vous avez fait votre voyage de noces icitte, vous... J'vous dis que vous étiez loin des chutes Niagara... Vous deviez pas avoir grand-chose d'autre à faire que...

ALBERTINE

Édouard, franchement!

LA GROSSE FEMME

Non, pis on faisait pas grand-chose d'autre non plus...

Elle sourit. Court silence. Josaphat lance un tout petit hurlement de loup. Victoire lui donne un coup de coude.

ALBERTINE

Voulez-vous ben me dire que c'est qu'on est venus faire su'a galerie, pour l'amour du bon Dieu?

Y'a rien à voir! Y fait noir comme su' l'loup! On est venus regarder rien?

ÉDOUARD

Bartine, franchement! T'es choquante! Je le sais que tu manques de fantaisie pis d'imagination, mais y'a toujours ben un boute! Si tu vois rien, fais-toé accroire que tu vois quequ'chose, ou ben donc ferme les yeux pis ouvre les narines, tu peux quand même pas dire que ça sent rien, viarge, on a de la misère à respirer tellement ça sent bon! On est venus se reposer, détends-toé un peu!

ALBERTINE

Comment tu veux que j'me détende, avec mon frère déguisé en épouvantail à côté de moé!

LA GROSSE FEMME

Ben merci!

ALBERTINE

Tu m'énarves chaque fois que tu passes la porte, en ville, parce qu'on sait jamais c'que tu nous prépares, pis chus venue passer une semaine à' campagne avec toé, j'dois être folle!

ÉDOUARD
comme pour lui-même

On avait tou'es trois besoin de repos...

ALBERTINE

C'tait-tu nécessaire de se reposer ensemble?

ÉDOUARD

Maudit que t'es bête! C'est la seule campagne qu'on connaît, air bête!

Albertine se lève, furieuse.

ALBERTINE

J'avais pas le goût de venir icitte, moé! Ça me rappelle des mauvais souvenirs, icitte, c'est pas de ma faute! C'te galerie-là me rappelle des mauvais souvenirs, j'passerai pas la semaine dessus certain! Je l'ai déjà vu, le ciel! J'ai essayé de noyer ma rage dedans pis ça a pas marché, je recommencerai pas pour vous faire plaisir!

LA GROSSE FEMME

Parle pas si fort, tu vas réveiller le p'tit...

ALBERTINE

C't'à moé, c't'enfant-là? J'le réveillerai si je veux!

La grosse femme et Édouard se regardent.

ALBERTINE

Excusez-moé. Vous avez raison. Faut laisser dormir les enfants. Surtout celui-là. Y va se réveiller, là, pis y va recommencer ses niaiseries...

ÉDOUARD

Ben oui, dépompe-toé...

LA GROSSE FEMME

La voix porte, à' campagne... Y'ont dû t'entendre jusqu'à Duhamel...

ÉDOUARD

Y'ont dû penser qu'y'avait un ours de pogné dans un piège... Ris donc, un peu... que j'aille enfin mette mon p'tit pydjama de soie rose pâle...

La grosse femme rit. Albertine secoue la tête.

VICTOIRE

On va-tu y aller, rester à Morial?

JOSAPHAT

Tu sais très bien que c'est à toé de décider.

VICTOIRE

Oui. Oui. C'ta moé de décider.

JEAN-MARC

T'es-tu décidé?

MATHIEU

À quoi?

JEAN-MARC

À garder Sébastien avec toi tout l'été.

MATHIEU

J'pense que oui. Si y veut. Si y veut rester avec moi.

JOSAPHAT

Quand est-ce que tu vas y donner une réponse définitive?

VICTOIRE

À qui?

JOSAPHAT

Ben, à Télesphore!

VICTOIRE

Ben vite. Ben vite.

MATHIEU

Toi, tu vas être ici, j'ai pas de travail avant septembre... On va être bien, tous les deux... En tout cas j'nous le souhaite. En deux mois, j'vais peut-être apprendre à vivre une vie normale avec lui... à nous fabriquer des souvenirs...

ALBERTINE

Si tu vivais une vie normale, aussi, on pourrait te parler plus...

VICTOIRE

Télesphore me promet une vie normale, Josaphat, mais j'sais pas si j'ai le goût...

MATHIEU

Mais toi, tout seul au milieu des montagnes, t'as pas peur de mourir d'ennui?

JEAN-MARC

J'ai surtout peur de mourir de peur! Tu sais comment chus pas brave! Quarante-huit ans, pis effrayé comme un enfant devant la nuit trop noire pis le moindre bruit suspect... Quand vous allez partir, ça va être la première fois que je reste tout seul depuis un bon bout de temps... *(En souriant.)* Une autre grande victoire sur moi-même...

MATHIEU

Qu'est-ce qui peut t'arriver...

JEAN-MARC

Je le sais qu'y peut rien m'arriver! C'est quand même pas des voleurs que j'ai peur, y'a rien à voler, ici! Y'en a qui ont peur dans le noir, y'en a qui ont peur des foules, des ascenseurs, des araignées, moi j'ai peur de me retrouver tout seul, la nuit... C'est pas très original, pis un peu évident, mais c'est comme ça... Pis j'te demande pas de comprendre...

MATHIEU

J'ai pas dit que je comprenais pas... Mais laisse-moi te dire que c'est pas très intelligent de venir t'enfermer dans le fin fond des bois pour tout un été si t'as peur du Bonhomme Sept-Heures!

JEAN-MARC

Sois pas de mauvaise foi... Si j'avais peur du Bonhomme Sept-Heures, Mathieu, j'pourrais me raisonner... *(Il regarde autour de lui.)* En tout cas, j'verrai bien la semaine prochaine...

ÉDOUARD

Si j'vivais une vie normale, Bartine, j's'rais l'être le plus ennuyant du monde. Y'a assez du reste de la famille qui est ennuyant...

JEAN-MARC

J'sais pas si les ours viennent encore fouiller dans les vidanges... En tout cas, le loup qu'on a entendu tout à l'heure me rassure pas beaucoup...

JOSAPHAT

Moé, chus sûr que j'ai pas le goût mais chus sûr aussi qu'on n' a pas le choix...

ÉDOUARD

Tu peux dire tout c'que tu veux de moé, mais pas que chus ennuyant!

ALBERTINE

T'es pas ennuyant, tu fais peur!

MATHIEU

Qu'est-ce que tu vas faire, contre ta peur? Tu vas vivre la nuit pis dormir le jour? Comme un vrai cliché d'écrivain?

VICTOIRE

J'ai peur de faire le mauvais choix, Josaphat, d'un côté comme de l'autre...

Jean-Marc se lève, descend les marches en frôlant sa mère.

JEAN-MARC

En tout cas c'est ici que tout va se passer, hein? À la fin de l'été, j'vais savoir si j'peux surmonter mes peurs enfantines d'un côté, pis de l'autre si chus capable de ressusciter cette maison-là...

Édouard se lève à son tour et descend lui aussi les marches.

ÉDOUARD

J'fais rien comme tout le monde, Bartine, rien, pis viarge que j'ai du fun à être le seul à faire c'que je fais! Y faut que j'aille charcher de l'eau, là, parce qu'on n'en a pas pour demain matin, ben j'vas aller charcher de l'eau comme parsonne est jamais allé charcher de l'eau à Duhamel! C'est plate pour crever la bouche ouverte d'aller charcher de l'eau? Ben, j'm'en vas rendre ça intéressant, moé! C'est ça, ma force, Bartine.

Il prend une pose dramatique et se met à réciter le songe d'Athalie en se dirigeant vers le puits suspendu.

ÉDOUARD

C'était pendant l'horrrreuuur d'une profonde nuit,
Ma mééére Jézabél devant moi s'est montré*euh*
Comme aux juuuurs de sa mort pompeusement paré*euh*...

Il sort.

ÉDOUARD
au milieu d'un vers

Viarge qu'y fait nouère!!!

La grosse femme rit.

ALBERTINE

Vous trouvez ça drôle, vous...

LA GROSSE FEMME

Si tu le connaissais pas, si c'était pas ton frère, tu rirais, toi aussi...

ALBERTINE

Si c'tait pas mon frère, j'aurais pas honte, surtout...

MATHIEU

Vas-tu finir par vraiment me parler, Jean-Marc?

JEAN-MARC

Qu'est-ce que tu veux dire?

MATHIEU

Tu le sais bien. T'as tellement souvent parlé de laisser ton métier de professeur que j'avais fini par penser que tu le ferais jamais. Que t'aurais jamais le courage. Pis là, tout d'un coup, tu le fais sans m'avertir... Tu m'arrives avec la nouvelle comme si c'était rien du tout pis tu t'étonnes que ça me surprenne... T'es pus professeur pis tu t'en vas passer l'été dans la maison familiale que tu viens de racheter, pis où tu risques de mourir de peur parce que t'as peur quand tu te retrouves tout seul... D'un côté tu fais tout pour te retrouver seul, pis de l'autre ça te fait peur... Pis moi y faut que je m'adapte à ça sans transition... J'te vois pas toujours venir, Jean-Marc... J'comprends pas toujours tes agissements parce que t'en parles pas assez. T'accumules, t'accumules, pis y'a jamais rien qui sort! Des fois j'ai l'impression de connaître plus ta famille que toi. Tu te livres juste par p'tits bouts qui sont pas toujours clairs mais tu parles d'eux autres

pendant des heures, pis des heures... tellement...
tellement qu'on vient qu'on les connaît, on les voit, on
les sent, on vit avec eux autres qui sont pourtant tous
morts depuis longtemps... Des fois chus obligé de
passer à travers leur tourbillon, pour t'atteindre, pis ça
me désespère. Sont comme un écran entre nous pis
y finissent souvent par me déranger...

JEAN-MARC

Je le sais pas, Mathieu, si j'ai vraiment quitté mon
métier ou si... *(Silence.)* Jusqu'à y'a pas très longtemps, quand j'voyais un des mes confrères un peu
plus vieux que moi prendre l'inévitable et suspecte
année sabbatique, à l'université, j'me disais toujours:
«Tiens, en v'là un autre qui s'est trouvé une excuse
pour rien faire pendant un an aux crochets de la
société!» J'les voyais partir, l'air rayonnant, comme si
on ouvrait la porte d'une prison après vingt ans de
travaux forcés; des fois je recevais une p'tite carte
postale d'un endroit perdu dont j'avais jamais entendu parler, des fois j'entendais dire qu'y faisaient rien,
qu'y restaient enfermés chez eux, dépressifs ou
paranoïaques, pis j'les voyais revenir au bout d'un an,
plus déprimés encore qu'avant leur départ parce
qu'y'étaient obligés de tout recommencer comme si
c't'année-là avait jamais existé... J'me disais naïve-
ment que j'f'rais jamais ça, moi, parce que j'aimais
trop mon métier, parce que mes élèves me passion-
naient trop pis que jamais, au grand jamais, j'aurais
besoin de m'éloigner de tout ça pour me reposer...
Pis tu vois...

*Édouard revient avec un seau d'eau qu'il porte à deux
mains.*

ÉDOUARD

J'vous dis qu'Athalie est moins belle à voir, là! A' sue comme une cochonne!

ALBERTINE

T'as mis trop d'eau, ça renverse partout...

ÉDOUARD

Aïe, veux-tu que j'aille la reporter?

ALBERTINE

Tu serais ben capable...

Il monte les marches, se retourne avant d'entrer dans la maison.

ÉDOUARD

Après son grand triomphe dans «La porteuse de pain», voyez La duchesse de Langeais dans «La fille du puisatier», avé l'assent de Marseille et puis toute... Un grand moment de théâtre! En quatre actes et trente-deux cheyères bien comptées!

Il entre dans la maison.

ALBERTINE

Ça aussi, vous trouvez ça drôle?

LA GROSSE FEMME
qui s'essuie les yeux

Toi aussi, tu trouves ça drôle, Bartine, chus sûre...

JEAN-MARC

Tu commences ta carrière dans l'enthousiasme, t'es un formateur, t'as une responsabilité... Si les autres professeurs avant toi ont écœuré leurs élèves avec la même matière, toi tu commettras pas la même erreur, non, tu vas les intéresser, tu vas les passionner parce que tu l'es, toi, passionné! Ça dure quoi, sept, huit ans... pis à force de répéter les mêmes choses année après année, le même cours, les mêmes règles immuables, tu deviens tellement écœuré que tu te mets à haïr les élèves autant que la matière! T'as pus besoin de préparer ton cours, tu le sais trop, t'es *devenu* ton cours! T'as essayé toutes les façon imaginables de le transformer, pas vraiment pour le rendre plus intéressant pour tes élèves mais pour toi-même parce que t'es convaincu d'être devenu le roi des radoteurs! Tu cherches de nouvelles façons de dire les mêmes maudites affaires pis t'en trouves pus! T'en trouves pus! T'es comme un acteur qui a joué le même personnage toute sa vie pis qui a fini par le haïr. Ça fait qu'avant de tuer un de tes élèves ou ben de sombrer dans la dépression la plus noire, tu te mets à rêver... à une année de vacances aux crochets non pas de la société parce que tu veux pas culpabiliser, mais de l'université qui te doit bien ça après quinze ou vingt ans à faire le perroquet savant devant un parterre de jeunes adultes qui se sacrent de ce que tu dis... Tu deviens amer, méchant, comme les vieux professeurs que tu méprisais quand t'es arrivé... pis tu te rends compte qu'y'étaient pas vieux, parce que toi t'es pas vieux, parce que tu veux pas être vieux! Parce que tu *peux* pas être vieux! Pas toi! Ça se peut pas! J'ai tellement aimé mon métier, Mathieu, pis je l'haïs tellement, maintenant! Mais au lieu de m'en aller dans un coin perdu du monde d'où j'enverrais à mes amis des cartes postales idiotes, j'ai décidé de me réfugier dans un coin perdu de mon enfance... pour essayer de ressusciter les colères de ma tante Albertine, les hésitations de ma grand-mère, le désespoir de mon grand-père, l'intelligence de ma mère... l'imagination de mon cousin, le pyjama rose de mon oncle Édouard.

Édouard sort de la maison. Il a revêtu un pyjama en soie rose pâle assez surprenant.

ALBERTINE

Y manquait pus rien que ça! Y'existait vraiment, c'te pyjama-là!

ÉDOUARD

Tu comprends, c'est la base de toute garde-robe un tant soit peu pensée, le pydjama affriolant qui prépare à tous les assauts et même qui les provoque!

ALBERTINE

Rentre dans' maison, pis va remettre la jaquette, c'tait moins laid...

JEAN-MARC

J'vais m'installer avec une plume, du papier, là où tout a commencé. À la source de tout. Mon grand-père jouait du violon pour faire lever la lune, moi j'vais écrire pour empêcher le crépuscule. Y'a pas de vrai coucher de soleil, ici, on devrait pouvoir empêcher la nuit de tomber. J'vais tout écrire ce que je sais sur eux. Ce que je ressens pour eux. J'me donne un an. Pis si j'y arrive pas... *(Il remonte sur la galerie, s'asseoit.)* Mais jamais je retournerai à l'université,

Mathieu, jamais! Pis si j'te parle pas de ces choses-là... c'est pour te protéger... pis me protéger moi aussi.

VICTOIRE

Jamais je reviendrai à Duhamel si on s'en va, Josaphat, jamais! Pas dans dix ans, pas dans trente ans... jamais! Pis faudra pus jamais m'en parler non plus...

JOSAPHAT

On peut pas s'empêcher de parler d'où on vient, Victoire, c'est pas possible...

VICTOIRE

Ben moé j'vas être capable! Si vous me coupez de tout ça, si vous m'arrachez de tout ça, va falloir faire comme si ça avait jamais existé, après, j't'avartis! Pis j'vas avartir Télesphore, aussi!

Elle descend de la galerie.

VICTOIRE, *violemment*

On est venus au monde icitte, Josaphat, dans la nature, dans le fin fond de la forêt, au bord d'un lac, au bord d'un lac, Josaphat! On le regarde geler pis dégeler depuis trente ans, on prend notre poisson dedans, notre vie est réglée sur ce lac-là! Quand y'est gelé, on met nos raquettes pour aller à Duhamel, pis quand y dégèle on sort le canot... Le soleil se lève à un boute de c'te lac-là, pis y se couche à l'autre boute, pis on le regarde faire parce que devant notre maison y'a rien pour nous cacher le soleil qui se lève, qui traverse le ciel, pis qui se couche! On a eu la chance de venir au monde à' campagne pis on devrait y rester, c'est le monde de la ville qu'on connaît qui nous le disent, pis le monde de la ville qu'on connaît sont du monde qui ont quitté la campagne parce qu'y'étaient obligés pis qui meurent d'ennui en ville! Notre sœur Ozéa, Josaphat, quand a' vient icitte a' passe ses vacances à pleurer parce qu'a' sait qu'a' va être obligée de s'en aller quand ça va être fini! On n'est pas dans la Chasse-Galerie, là, Josaphat, pour toute trouver beau ou ben donc pour transformer les malheurs en bonheurs, pis voyager de Morial à Duhamel en canot d'écorce conduit par le yable en parsonne quand ça fait notre affaire! On est dans la vraie vie! Pis dans la vraie vie, quand on quitte Duhamel, c'est pour toujours!

Silence.

VICTOIRE

Tu réponds rien? C'est ça, quand c'est confronté avec la vraie vie, les poètes, ça répond rien... Ça fume leu' pipe en prenant un air absent pis ça fait semblant de réfléchir.

JOSAPHAT

Sois pas injuste. J'fais pas semblant de réfléchir. J't'écoute.

VICTOIRE

Ben j'ai fini, ça fait que réponds!

JOSAPHAT

J'attends, un peu. Quand t'es pompée de même, t'es pas parlable.

ALBERTINE

On pourrait au moins jaser! Ça remplirait le noir!

ÉDOUARD

Quand t'es pompée de même, t'es pas parlable.

ALBERTINE

Chus pompée chaque fois que j'te vois, ça veut-tu dire qu'on devrait jamais se parler?

Elle se lève, descend les marches, vient rejoindre sa mère.

ALBERTINE
même ton que sa mère

Tu le sais pas c'que tu me fais, Édouard, hein, tu le sais vraiment pas! Tu le sais pas à quel point tout c'que tu représentes m'écœure! Tu joues avec moé, tu joues avec mes réactions devant tes maudites niaiseries, mais tu le sais pas à quel point tout ça est sérieux, à quel point tout ça est grave! Quand tu passes la porte, le vendredi soir, ton soir de visite, pis que j'entends ta maudite voix qui est jamais la même, j'me dis que j'sais pas de qui tu vas avoir l'air, ce soir-là, pis j'ai envie de sortir par la porte d'en arrière pis de me sauver par la ruelle! As-tu déjà pensé, Édouard, qu'on sait pas parsonne qui ce que t'es, dans' maison? On le sait pas! Quand j'm'adonne à être sur le balcon, l'été, pis que j'te vois arriver de la rue Mont-Royal, chus jamais sûre que c'est vraiment toé parce que c'est jamais la même personne qui arrive de la rue Mont-Royal! La personne que j'vois venir est toujours aussi grosse, toujours aussi ridicule, mais c'est jamais la même! Les autres femmes, sur la rue

Fabre, quand y voyent leur frère arriver de la rue Mont-Royal, y se disent: tiens v'là mon frère Émile qui arrive, ou ben donc v'là mon frère Albert... Pas moé! Un vendredi soir c'est Juliette Pétrie qui monte la rue en se dandinant, l'autre vendredi soir c'est le gros de Aurel et Hardy qui s'évente avec sa cravate, le vendredi suivant c'est un enfant de quatre ans avec des culottes courtes pis un gros gros suçon, quand c'est pas Shirley Temple dans une robe trop courte ou ben donc la Poune avec son caluron... Des fois c'est les voisines, Édouard, qui me disent: tiens, v'là votre frère, pis j'ai envie de leu' cracher dans face parce que l'affaire qui s'en vient fait peur! L'hiver c'est un peu moins pire... J'ai la surprise juste dans la cuisine pis j'peux cacher ma honte dans le fourneau en faisant semblant d'arroser le rôti de porc, mais l'été, Édouard, l'été, c'est toute la rue Fabre qui te regarde arriver... j'te vois monter la rue en même temps que tout le monde pis ma honte est pas cachable! Tout le monde peut lire la honte sur mon visage! *(Elle hurle.)* Si tu vas pas ôter ce pyjama ridicule-là pis si tu vas pas t'en mettre un qui a de l'allure, j'vas te l'arracher de sur le dos pis tu vas être obligé d'aller le repêcher au bout du quai!

Elle tremble. Silence.

ALBERTINE, *plus doucement*

Si tu m'as emmenée icitte pour me parler, pis je le sais que tu m'as emmenée icitte pour me parler, chus pas complètement épaisse, fais-lé sans déguisement. On n'est pus en ville, là, on n' a pus besoin de jouer de rôles, on est dans le fin fond de la forêt, au bord d'un lac vide pis noir, y'a une armée de maringouins qui nous guettent pis qui attendent juste qu'on sente assez fort pour se jeter sur nous autres, ça fait qu'on est aussi ben de régler tout ça au plus sacrant avant de se mettre à se gratter. *(Elle se tourne vers eux.)* Vous m'avez piégée, tou'es deux, ben on va voir qui c'est qui est la plus forte...

MATHIEU

C'est tellement calme... On pourrait jamais imaginer qu'y'a déjà eu de la chicane, ici... Tout c'que tu m'as conté sur ta famille a l'air invraisemblable dans ce calme-là.

JEAN-MARC

Faut pas se fier aux apparences... Si c'te maison-là pouvait parler...

VICTOIRE

Si tu me parles pas j'vas aller me coucher... La nuit porte conseil, comme y disent... Ben la nuit va me conseiller la même affaire qu'hier pis avant-hier pis j'vas encore savoir que j'pourrai pas suivre ses conseils...

ALBERTINE

Envoyez, allez-y, parlez-moé, dites quequ'chose... C'est mon procès que vous voulez faire? Ben j'vas me défendre, sans avocat...

ÉDOUARD, *applaudissant*

Bravo! Belle performance! T'as toujours couru au-devant des coups, hein... Tu penses toujours que tes colères vont nous faire peur pis qu'on va plier devant toé pour que t'arrêtes de crier! C'est correct, on va encore faire à ta tête... J'vas rentrer, j'vas aller mettre une belle p'tite habit propre... mais là j't'avertis qu'y sera pas question que je cède, qu'on arrête la discussion parce que t'es hystérique... tu vas m'écouter jusqu'au boute!

Il rentre. Silence

ALBERTINE, *à sa belle-sœur*

C'tait toute arrangé d'avance, ça, hein?

LA GROSSE FEMME

C'est pas comme ça que ça devait arriver... Surtout pas à soir, tu-suite en débarquant...

ALBERTINE

En tout cas j'vous avartis que si ça finit trop mal, on repart demain matin! Je recommencerai pas ça tous les soirs, moé, c'te petite scène-là... Non, certain!

LA GROSSE FEMME

Pourquoi t'es venue, Bartine...

ALBERTINE

Quoi?

LA GROSSE FEMME

Pourquoi tu t'es laissée convaincre de venir... C'tait pas parce que t'avais un peu envie, toi aussi, que tout ça arrive?

ALBERTINE

Tout quoi? Une explication avec Édouard? Avec c'te gros insignifiant-là qui est juste capable de faire le bouffon? Voyons donc! Écoutez ben c'que j'vous dis... Y va nous arriver déguisé, comme d'habitude, y va nous réciter une pièce en vers ou ben donc y va nous chanter la chanson de la Poune en faisant semblant qu'y s'est rien passé... Y fait toujours semblant qu'y s'est rien passé! On peut toute y dire, toutes les insultes, toutes les bêtises qu'on veut, y se rappelle jamais de rien, après! Y nous glisse toujours entre les doigts! Y'est comme un savon mouillé! Mon frère est un savon mouillé! Avez-vous déjà essayé de vous expliquer avec un savon mouillé, vous?

JOSAPHAT

En ville on sera pus des parias, Victoire.

VICTOIRE

En ville on sera même pus vivants, Josaphat! Le sais-tu la vie que Télesphore m'offre, hein, le sais-tu?

Josaphat descend de la galerie.

JOSAPHAT

Télesphore t'offre de reconnaître Gabriel en ville, Victoire, y t'offre de... légaliser Gabriel si tu pars avec lui. Icitte, tout le monde sait, à c't'heure, on a de la misère à se faire servir au magasin général, c'est juste si on se fait pas garrocher des roches à l'église...

VICTOIRE

Ben oui, ben oui, recommence pas tout ça, je le sais, tout ça, ça fait des années que ça dure...

JOSAPHAT

Pense à lui, à Gabriel...

VICTOIRE

Josaphat, Télesphore s'est fait offrir une job de concierge dans une maison appartements de la ruelle des Fortifications, à Morial, penses-tu que c'est une affaire qu'on peut souhaiter à un enfant? Hein? Y vont-tu nous loger dans' cave? À côté de la soute à charbon? Gabriel, notre enfant, l'enfant qu'on a faite, nous deux, on va-tu l'obliger à grandir dans une cave de la grande ville après y avoir donné... *(Elle montre le lac.)* tout ça?

JOSAPHAT, *honteux*

Télesphore te l'a dit, Victoire, c'est une job juste en attendant!

VICTOIRE

On les connaît vos jobs juste en attendant! Que c'est que vous savez faire, quand vous arrivez de la campagne, hein? Que c'est qu'y sait tant faire, Télesphore? Y'a peut-être été à l'école quequ's années de plus que nous autres mais ça y garantit pas une job en ville, ça! Y va être reçu comme y sont toutes reçus: comme un habitant, comme un autre habitant qui s'en vient s'installer en ville pis qui sent le fumier! C'est ça qu'y disent de nous autres, en ville, Josaphat, qu'on sent le fumier! Pis y nous le disent en anglais à part de ça! Parce que c'est pour eux autres que vous allez travailler, en plus! Parce que c'est eux autres qui ont l'argent! Y disent de vous autres que vous sentez le fumier, vous faites semblant de pas les comprendre pis vous continuez à les sarvir! Toute la gang! Vous apprenez à baragouiner quequ'mots d'anglais, là, pis vous pensez que vous êtes les maîtres du monde! Y vous disent: «All right, all right!», en vous donnant des claques dans le dos pis y continuent à rire de vous autres dans votre dos! Le mari de notre sœur Ozéa est parti y'a dix ans délivrer la malle dans un bureau d'avocats oùs'qu'on parle juste en anglais en pensant qu'y deviendrait avocat un jour, pis que c'est qu'y fait, aujourd'hui? Y délivre la malle dans son bureau d'avocat pis y'a pas eu une seule augmentation en dix ans! Tout c'qu'y'a appris en dix ans, c'est vingt-deux mots d'anglais pis y s'en sert tout croche! Ça a été ça, son augmentation! Mais pourquoi on parle de ça, pourquoi on parle encore de ça, Josaphat, j'veux pas y aller en ville! J'aime mieux être une paria en face de mon lac qu'une femme sans passé au fond d'une cave en ville! J'y pense, à Gabriel, Dieu sait que j'y pense, à Gabriel... J'veux pas le voir dépérir dans une ruelle même si a' s'appelle la ruelle des Fortifications, c'est toute!

LA GROSSE FEMME

J'parle avec lui souvent, moi, Bartine... sans problème...

ALBERTINE

Ah, commencez donc pas à faire votre parfaite, ça m'énarve!...

VICTOIRE

As-tu pensé à une chose, Josaphat... *(Silence.)* As-tu pensé que mes autres enfants vont être de Télesphore?

Elle se jette dans ses bras.

VICTOIRE

J'pourrai pas empêcher Télesphore de vouloir des enfants, Josaphat! Pis je l'aime pas assez pour y faire des enfants! C'est toé que j'aime, Josaphat!

LA GROSSE FEMME

Ça y'est même arrivé de m'aider à vivre. De m'aider à continuer à vivre.

ALBERTINE

Lui? C'te grosse affaire-là? Faites-moé pas rire!

LA GROSSE FEMME

Après vos engueulades, quand tu vas t'enfermer dans ta chambre en claquant la porte pis que tu me laisses avec lui...

ALBERTINE

Ben oui, je le sais... j'vous entends jaser, pis rire, pis j'me dis: que c'est qu'y peuvent ben trouver à se dire pour avoir du fun de même, pour l'amour du saint ciel?

LA GROSSE FEMME

T'sais c'qu'on disait de ton oncle Josaphat... qu'y'avait le don de nous faire rêver...

JOSAPHAT

Personne va m'empêcher de te faire des enfants si je veux t'en faire, Victoire!

ALBERTINE

Ouan, mais y'était pas capable de rien faire d'autre, par exemple...

VICTOIRE

C'est ça, on va se rencontrer de temps en temps dans les réunions de famille pour faire des enfants, j'suppose?

JOSAPHAT

Non, j'vas aller te faire des enfants quand je le voudrai! Pis quand tu le voudras.

VICTOIRE, *se dégageant*

Es-tu fou? Es-tu fou?

LA GROSSE FEMME

Ben Édouard est un peu comme lui, Bartine. Ça doit être de famille...

VICTOIRE

Quand j's'rai mariée avec Télesphore, Josaphat, ça sera pour de bon...

JOSAPHAT

Penses-tu vraiment que j'te laisserais tu-seule? Penses-tu que j'vas m'exiler en ville pour te regarder vivre de loin?

VICTOIRE

Tu peux quand même pas venir vivre avec nous autres!

JOSAPHAT

Y'a toujours moyen de s'arranger quand on veut.

VICTOIRE

Pis si j'veux pas, moé, hein? Télesphore est trop bon avec nous autres pour qu'on passe notre vie à le tromper, Josaphat!

LA GROSSE FEMME

Des fois, quand on a ben ri, qu'on est restés de fatigue, j'm'assis sur la chaise berçante, surtout l'été quand y fait beau pis qu'on peut rester dehors tard, le soir... Y s'assit à côté de moi sur une chaise droite ou ben donc à terre... j'mets ma main sur son bras ou ben sur son épaule, pis j'y dis... «Conte-moi toute, Édouard...» J'ferme les yeux... j'accote ma tête... pis j'pars... Loin de la rue Fabre, loin de vous autres, loin de nous autres... J'descends la rue Saint-Laurent, j'monte l'escalier du French Casino... C'est sûr que c't'un autre monde, Bartine, c'est sûr que c'est des affaires qu'on connaîtra jamais pis qu'on voudrait pas connaître non plus, mais justement, c'est d'autre chose! C'est différent de ce qu'on a toujours connu pis qu'on connaîtra toujours...

ALBERTINE

Ça, pour être différent...

LA GROSSE FEMME

Y portent toutes des noms à coucher dehors, dans sa gang, des noms qu'y se sont inventés ou ben qu'y'ont volés un peu partout, aux vues, dans des livres... y font toutes des affaires qu'y'ont pas d'allure... y vivent dans le rêve, Bartine, c'est pas compliqué, leur vie complète se passe dans le rêve! Y se content des contes, y y croyent, pis quand quelqu'un pète leu' balounes, y s'en inventent d'autres. On dirait qu'y'a rien pour les décourager... Quand un rêve est fini, y s'en bâtissent un autre, pis envoye donc... Le jour y vendent des suyers ou ben y travaillent dans des restaurants, des bureaux, des banques mais le soir y deviennent quelqu'un d'autre... Quelqu'un de connu, de respecté, de riche... Mon Dieu, pourquoi pas... Des fois, c'qu'Édouard me conte est tellement naïf, Bertine, qu'un enfant de quatre ans y croirait pas mais lui y croit! Pis c'est beau qu'y y croie! Pis le temps qu'y me le conte j'le crois moi aussi!

ALBERTINE

Vous avez du temps à perdre!

LA GROSSE FEMME

Ah! oui, Bartine, oui... J'en ai du temps à perdre! Pis toi aussi! C'qu'Édouard me conte m'aide à passer le temps que j'ai à perdre, Bartine! Penses-tu que ça nous ferait pas du bien, à nous autres aussi, de rêver qu'on est quelqu'un d'autre! Si j'les avais pas, lui pis ses rêves de fou, ça fait longtemps... que vous m'auriez enfarmée...

ALBERTINE

Vous avez vos livres!

LA GROSSE FEMME

Les livres, ça coupe du monde, Bartine... On est tu-seul à rêver quand on lit. Pis les livres, ça se passe rarement ici... Édouard, lui, c'est comme si y vivait des affaires pour vrai, tu comprends, quelqu'un que je connais vit des affaires extraordinaires qu'y partage avec moi! Y me fait rêver ici, tout ça se passe dans ma ville, des fois avec du monde que je connais...

ALBERTINE

Mais vous dites que vous y croyez pas!

LA GROSSE FEMME

J'te l'ai dit, j'y crois su' l'coup! Comme quand je lis! Mais là ça se fait à deux! J'peux répondre à ses rêves, j'peux rentrer dedans si je veux... j'peux même les changer parce qu'y les change quand j'y demande...

ALBERTINE

J'comprends pas... J'comprends pas que les niaiseries d'un gros beau-frère qui se prend pour... pour une duchesse vous fassent c't'effet-là...

LA GROSSE FEMME

C'est parce que tu te laisses pas aller...

ALBERTINE, *agressive*

C'est sûr que j'me laisse pas aller! Voyons donc! Y nous ment en pleine face! Vous le dites vous-même!

LA GROSSE FEMME

Sers-toi de ton imagination.

ALBERTINE

J'en ai pas! Pis j'en veux pas! Vous voyez c'que ça a faite à mon oncle Josaphat! Pis vous voyez c'que ça fait à mon enfant! Mon propre enfant est un mélange de mon oncle Josaphat pis de mon frère

Édouard, pensez-vous que ça me donne envie de me mêler avec eux autres pis de leu' dire envoyez, faites les fous on va rire? Partout où je regarde dans ma vie y'a du monde comme eux autres! Pis c'est du monde que je refuse! J'comprends pas c'qu'y sont, j'comprends pas c'qu'y veulent! J'vis vingt-quatre heures par jour à côté d'un enfant que j'ai jamais compris, c'est pas assez, vous pensez? Pensez-vous que j'vas m'effouèrer sur la chaise barçante pis demander à l'autre fou d'ajouter des folies à celles de mon enfant que je comprends déjà pas? Moé, quand la journée est finie, j'ai pas envie d'être quelqu'un d'autre pantoute! J'ai juste envie de dormir! De dormir! Pas pour rêver! Pour oublier! Oublier, comprenez-vous c'que ça veut dire?

Édouard sort de la maison. Il est habillé comme au début de la pièce.

ÉDOUARD

C'te fois-là c'est Saint-Jérôme qui doit être au courant de nos affaires... Parle juste un peu plus fort, Bartine, pis y vont t'entendre jusqu'aux États!

ALBERTINE

Déguise-toé juste un peu plus, Édouard, pis y vont te *voir* jusqu'aux États!

ÉDOUARD

Chus pas déguisé, là...

ALBERTINE

Ouan, c'est de valeur... Notre belle-sœur était justement en train d'essayer de me convaincre que t'es plus intéressant quand t'es déguisé...

LA GROSSE FEMME

C'est pas ça que j'ai dit...

Édouard lui fait signe de ne pas répondre. La grosse femme retourne s'asseoir dans les marches de l'escalier.

JOSAPHAT

Quand on était petits, on en rêvait tellement de Morial, tu t'en rappelles? Pis on en rêvait avec Télesphore...

VICTOIRE

Ben oui, on était des enfants, tou'es trois, on haïssait la campagne parce qu'on était obligés de travailler sur la ferme, l'été, pis on rêvait de s'évader. Mais ça fait vingt ans de ça...

ÉDOUARD

Quand on était petits, on en rêvait tellement de Duhamel, tu t'en rappelles?

ALBERTINE

On en rêvait parce qu'on s'ennuyait, l'été, pis qu'on pensait que c'était plus intéressant icitte... Pis quand on arrivait icitte on se mettait à s'ennuyer d'la ville parce que c'est plate, icitte!

JOSAPHAT

On a la chance, là, de pouvoir y aller pour de bon... comme on le voulait...

ÉDOUARD

On a la chance, là, de pouvoir en profiter toute une belle semaine...

VICTOIRE ET ALBERTINE

Pourquoi tu me dis ça...

VICTOIRE

...comme si on avait choisi de s'en aller en ville!

ALBERTINE

...comme si ça faisait des mois qu'on rêvait de venir icitte ensemble!

VICTOIRE

Que c'est que tu vas tant faire, toé, à Morial, hein, à part d'être avec moé? As-tu pensé à ça? T'as jamais rien faite de ta vie, Josaphat! Tout ce que tu sais faire c'est de la musique! Penses-tu vraiment que tu vas pouvoir gagner ta vie avec ton violon en ville!

ALBERTINE

Que c'est que tu vas tant faire toute la semaine? Changer de déguisement douze fois par jour? Aller chanter la chanson de la Poune au bout du quai pour les canards? Inventer des histoires à coucher dehors pour faire rêver notre belle-soeur?

JOSAPHAT ET ÉDOUARD

Hé, que t'es de mauvaise foi!

VICTOIRE ET ALBERTINE

Ben oui!

MATHIEU

Au fond, t'es un rêveur, Jean-Marc. Comme ton grand-père. T'as l'air posé, réfléchi, comme ça, mais tu penses pas toujours aux conséquences des gestes que tu poses.

JEAN-MARC

C'est la première fois que je pose un geste comme celui-là. Laisse-moi faire, Mathieu. Pour un an. Laisse-moi essayer. Si ça donne rien... J'vais rentrer dans le rang, j'suppose... Retrouver... le petit réconfort de la médiocrité sympathique. Mais si ça marche... Y faut que je me prouve que chus capable de produire autre chose que des petits cours d'université. Que chus capable, moi aussi, de faire se lever la lune, si je veux... Pis y'a juste ici, dans cette maison-là, que j'peux y arriver. Comprends-tu?

Ils se regardent longtemps.

MATHIEU

Oui. Okay.

VICTOIRE

J'suppose qu'y faudrait que je trouve toute beau, là, que j'me réfugie dans le rêve... Que j'nous voye tou'es deux, heureux comme des papes dans la cave de la ruelle des Fortifications... Chus pas capable, Josaphat...

ALBERTINE

Chus pas capable, Édouard... chus pas capable de te laisser me parler comme si rien était... Je le sais, là, que c'était arrangé d'avance, ça fait que dis-moé c'que t'as à me dire une fois pour toutes! Laisse faire la beauté de la campagne pis la belle semaine qu'on va passer! La semaine, on va la passer sur le balcon de la rue Fabre, Édouard, si ça dépend rien que de moé, parce que quand tu vas avoir fini ton beau sermon j'vas repaqueter mes valises!

ÉDOUARD

J'te dis que tu l'as, le don de décourager une conversation, toé! J'peux pus rien te dire, là!

ALBERTINE

Voyons donc! Comme si quelqu'un avait déjà réussi à te boucher! Ah, pis dis donc n'importe quoi, ça va faire pareil!

ÉDOUARD

Dis-moé pas en plus que tu m'écouteras pas! *(Il se tourne vers sa belle-soeur.)* J'vas la tuer!

JOSAPHAT, *naïvement*

Y'en a des soirées, en ville, Victoire! Si y'a de quoi, y'en a ben plus qu'icitte! C'est pas un village qui donne une veillée de temps en temps, Morial, c'est une ville pleine de monde qui veulent avoir du fun quand y'ont travaillé toute la semaine! Jusqu'icitte, j'ai réussi à gagner notre vie en voyageant d'un village à l'autre, d'un samedi à l'autre, d'une veillée à l'autre, j'vas faire la même chose en ville, c'est toute! Le monde vont se battre le samedi soir pour avoir un bon violoneux, tu sauras me dire que j'avais raison...

VICTOIRE

Des rêves...

JOSAPHAT

Comment, des rêves! C'est toé qui le disais, t'à l'heure, que Morial était pleine de monde de la campagne qui s'ennuient! Ben j'vas aller les divartir, moé! Pis les contes de la Chasse-Galerie que tu me reproches tant, ben j'peux les arranger pour la ville! Chus capable de faire lever la lune en ville autant qu'icitte!

VICTOIRE

Faire semblant de faire lever la lune tou'es soirs a jamais nourri son homme, Josaphat! T'as le don de jamais parler des bonnes affaires... Laisse faire les contes, les contes y pogneront peut-être pas pantoute, en ville! Le monde y'ont connu d'autre chose, là, pis y'ont peut-être pas envie d'entendre un tapeux de pieds qui conte n'importe quoi en jouant du violon! Si tes contes pognent pas, en ville, que c'est que tu vas faire? Que c'est que tu vas faire pour le reste de tes jours? Balayer les rues? Pelleter la neige? Arrête de rêver deux menutes, là, Josaphat! Me marier avec Télesphore pis déménager en ville réglera rien, c'est pas vrai! C'que tu fais en fin de compte, c'est te débarrasser de tes responsabilités, Josaphat, comme d'habitude! T'es un enfant, t'es exactement comme un enfant de trente ans passé... Aussitôt que quequ'chose fait pas ton affaire, tu tournes le dos, tu te jettes sur son maudit violon pis y'a une nouvelle gigue qui vient au monde! Parce que tu sais que chus là, derrière toé, pis que j'vas encore régler c'qui va pas... Icitte, j'arrive à te protéger, j'fais du mieux que je peux avec le peu d'argent que tu ramènes de tes maudites veillées du samedi soir, mais en ville, Josaphat, tu vas crever de faim! Parce que t'as pas de défense! Comme un enfant! Comme un enfant! C'est-tu Télesphore pis moé qui vont être obligés de te nourrir?

104

JOSAPHAT

Pourquoi tu vois toujours juste le mauvais côté des choses, Victoire?

VICTOIRE

Hé, que tu m'enrages! Si j'avais pas les deux pieds su'a terre, ça fait longtemps qu'on serait six pieds sous terre, tou'es deux!

Il s'approche d'elle tendrement.

JOSAPHAT

Tu penses pas vraiment c'que tu dis, là...

VICTOIRE

C'est vrai... Moé aussi, au fond, j'aime mieux ton côté des choses... Malheureusement, chus plus réaliste que toé... Mes rêves sont moins longs pis quand y finissent, j'ai pas l'imagination pour m'en inventer d'autres... Y faut que j'attende après toé... Si on est séparés, que c'est que j'vas faire? J'vas-tu rester dans le mauvais côté des choses pour le reste de ma vie?

Il la prend dans ses bras.

JOSAPHAT

Moé aussi j'ai peur d'la ville, t'sais. Trop de monde, trop d'électricité, trop de bruit... L'inconnu. Jamais un arbre, jamais d'eau, des promenades sur des trottoirs de bois, un p'tit carré de ciel... Mon Dieu! Pis j'ai surtout peur qu'y'aye pas de place... pour la poésie.

VICTOIRE

Restons donc icitte, Josaphat... On a enduré tout ça jusqu'à aujourd'hui, on peut continuer... On va s'aider...

JOSAPHAT

On peut pus rester icitte, Victoire... J'ai été obligé de vendre la maison pour me partir en ville...

Elle se dégage brusquement.

VICTOIRE

À qui? À qui t'as vendu la maison?

JOSAPHAT

Aie pas peur... A' va rester dans'famille... Je l'ai vendue au mari d'Ozéa qui se cherchait une maison de campagne...

Victoire hurle comme si on l'avait frappée.

ÉDOUARD

C'est vrai que j'm'étais préparé un beau discours... J'm'étais faite toute une belle mise en scène, aussi... J'étais pour profiter que t'étais dans l'eau ou ben que tu sortais de l'eau... J'm'avançais au bout du quai... J'te disais... Non, ça, j'avoue que j'avais pas trouvé le commencement de notre conversation... j'laissais ça à l'inspiration du moment... J'avais tout préparé le reste, par exemple... Mais j'pourrai pas m'en servir. Parce que la situation est pas la même. Tu vois, j'voulais profiter qu'on n'était pas habillés ni l'un ni l'autre pour te parler... Comme ça, t'aurais pas pu me reprocher d'être déguisé... Tandis que là j'ai

106

l'air d'être habillé pour demander ta main à ton père... Chus pas à l'aise dans ma p'tite habit pis dans le noir, comme ça... Dans ma tête, y faisait beau, on était étendus sur nos serviettes... pis tu comprenais.

ALBERTINE, *doucement*

Comprendre quoi, Édouard. Penses-tu vraiment que je comprends pas c'que t'es? J'accepte pas, mais j'comprends. Ça prenait pas un voyage en machine de quatre heures pour se dire ça... *(Elle s'éloigne de lui.)* Tu t'es changé... mais ton parfum... ton parfum de femme est resté.

ÉDOUARD

J'me sus pas parfumé, pourtant...

ALBERTINE

T'en mets assez tout le temps que tu sens toujours, Édouard. On pourrait te retrouver dans le fin fond du parc Lafontaine rien qu'en suivant ton parfum...

ÉDOUARD

Tu vois, Bartine, c'que tu viens de faire, là, c'est de l'humour! Si tu l'avais pas dit sérieusement, si tu l'avais dit avec un sourire au coin de la bouche on pourrait en rire tous les trois! C'est pas vrai que t'as pas d'imagination! Bartine, si tu voulais tu serais tellement drôle!

ALBERTINE, *plus agressive*

C'est ça, encore le rire!

ÉDOUARD

Ben oui, pourquoi pas? Comment tu penses que j'ai passé à travers toute c'qui m'est arrivé? En riant, Bartine, surtout quand c'tait pas drôle!

ALBERTINE

Le récit de tes problèmes nous intéresse pas une miette, Édouard...

ÉDOUARD

Chus pas venu icitte pantoute pour te faire le récit de mes problèmes, aie pas peur! *(Silence.)* Maudit que c'est dur de te parler! Tes enfants peuvent ben avoir peur de toé. T'as le don de détourner la conversation... J'voulais parler du rire, Bartine, du rire! Tout c'que tu me reproches tant, en fin de compte, vient toujours du fait que je vire toute en ridicule! Si je revirais pas toute en ridicule, c'est moé qui le serais, ridicule, Bartine! J'ris avant que les autres rient! C'est pas compliqué! Quand j'descends la rue Fabre déguisé en Poune ou ben donc en madame Pétrie pis que tout le monde rit, j'les vois rire, Bartine! Parce que c'est moé qui a voulu qu'y rient! J'aime mieux qu'y rient dans ma face, pis avec moé, que dans mon dos quand chus pas là!

ALBERTINE

Penses-tu qu'y continuent pas à rire quand t'es passé? Pis qu'y se disent pas tout ce qu'y pensent de toé quand y sont rentrés chez eux?

ÉDOUARD

Que c'est que ça peut faire, si c'est moé qui les a partis? Si j'leur ai donné volontairement une raison de rire? L'été passé, tu te souviens, à la plage Roger, quand t'as eu si honte de moé parce que j'ai faite la folle devant une gang de bums? Hein? Ben si j'avais pas faite la folle devant c'te gang de bums-là, y m'auraient cassé la yeule, parce qu'y'avaient tu-suite vu comment j'étais! Si j'avais essayé de le cacher, y m'auraient niaisé, y nous auraient niaisés toute le journée, y'auraient gâché notre pique-nique pis y'au-raient fini par me coincer quequ'part pis me casser la yeule en m'insultant! Mais j'me sus brassé le cul devant eux autres en me sacrant une napkin su'a' tête pis en leur chantant des vieux succès de Mistin-guett qu'y connaissent même pas... pis y'ont ri! Toute la journée! Y'ont ri toute la journée parce que moé j'ai ri de moé-même toute la journée! De ce que j'étais, de mon physique, de ma façon de marcher, de ma façon de parler! J'me sus épuisé à les faire rire, Bartine, pour éviter que tout ça finisse dans le drame! Pis le soir y'ont fini par nous payer la traite! Y me respec-taient, rendu au soir, Bartine! C'est ça que j'ai trouvé, la dérision, pour avoir le respect du monde! Le respect!

ALBERTINE

Si t'avais pas été de même tu serais pas obligé de t'épuiser pour te faire respecter...

ÉDOUARD

Bartine, franchement! Chus de même, c'est toute! Y'a rien à y faire, pis y faut surtout pas essayer de changer ça!

ALBERTINE

Arrête de vouloir me convaincre que c'est pas une affaire grave! C'est une affaire grave que j'peux pas accepter, Édouard! J'peux pas! Quand j'pense à...

Quand je pense à c'que tu fais, j'aimerais mieux que tu soyes mort!

ÉDOUARD

Ben penses-y pas à c'que je fais! De toute façon, tu le sais probablement pas c'que je fais...

ALBERTINE

C'est ça, offre-moé de me faire un dessin tant qu'à y être! Y'a pas juste les déguisements, pis les folleries que j'accepte pas, Édouard! Y'a tout c'qu'y'a en dessous, aussi! En dessous de ta p'tite habit que t'es pas ben dedans, y'a toute un homme, mon frère, qui vit des choses que je refuse! Je le sais que tu continues à exister quand tu passes la porte, t'sais! Pis qu'en dessous du personnage de la semaine y'en a un autre, toujours le même, que je connais pas pis qui me fait peur! Pis c'est vrai, en fin de compte, que j'en ai de l'imagination parce que souvent dans la semaine j'pense à toé, le soir, à où tu dois être pis à ce que tu peux être en train de faire! Pis j'en ai tellement honte que j'me mettrais à hurler si j'me retenais pas!

Victoire se remet à hurler.

JOSAPHAT

Crie pas comme ça, Victoire...

VICTOIRE

Notre maison... notre maison...

ÉDOUARD, *à la grosse femme*

Aidez-moé...

VICTOIRE

Pis pour te partir! Pour te partir! Mais te partir dans quoi? Dans la fabrication de contes de la Chasse-Galerie? En six mois, Josaphat, en un an dans le plus, tu vas toute avoir dépensé c't'argent là, tu sais pas c'est quoi, de l'argent! Tu sais pas combien les affaires coûtent, c'est toujours moé qui paye toute! Te partir! Mais ça sera pas le commencement de rien, ça va être la fin de toute!

Josaphat ne trouve rien à répondre.

ALBERTINE

Forcez-vous pas pour rien ni l'un ni l'autre...

JOSAPHAT

Tu perdras pas toute... J'avais l'intention de te donner la moitié de c't'argent-là...

VICTOIRE

Mais j'en veux pas! C'est pas de l'argent que je veux c'est ma maison! Je le sais que popa te l'a laissée à toé mais t'avais pas le droit de la vendre sans m'en parler...

JOSAPHAT

Tu m'en aurais empêché...

VICTOIRE

Ben certain! Certain! J'aurais toute faite pour que tu la vendes pas! Pis t'osais encore parler de la maison suspendue à Gabriel, à soir!

JOSAPHAT

J'veux qu'y'en garde un souvenir extraordinaire...
Pis toé, tu disais que si tu partais, tu voulais pus
jamais revenir... que c'est que ça peut faire que la
maison soye vendue, d'abord...

VICTOIRE, *comme épuisée*

J'disais ça parce que j'croyais pas encore vraiment qu'on allait partir... Là, j'y crois... Pour la première fois, j'y crois... Là, je le sais que j'vas marier
Télesphore, qu'on va s'en aller en ville, que Gabriel
va grandir dans le bruit pis dans la saleté... Mais je
sais aussi... J'sais aussi que pus jamais, jamais, j'te
laisserai m'approcher. *(Elle ferme les yeux.)* Même si
je t'aime. Prends pas la peine de venir rester à Morial
pour me voir, Josaphat, tu me verras pas. Va rester
ailleurs.

*Elle s'éloigne de Josaphat. Elle pose ses mains sur
son ventre.*

VICTOIRE

Ça a ben l'air que tu vas venir au monde en ville...
Si t'es un p'tit gars, j'vas t'appeler Josaphat pour avoir
le droit de me servir de ce nom-là le plus souvent
possible pour le reste de mes jours... Si t'es un p'tite
fille, j'vas t'appeler Albertine, comme la mére de ma
mére, dans l'espoir que tu soyes aussi douce pis
aussi fine qu'elle... Non, si t'es une fille, tu seras pas
fine, je le sais. Tu vas... tu vas hériter de tout c'que j'ai
de plus laid, tu vas hériter de ma toute rage d'avoir été
obligée de laisser la campagne pour aller m'enterrer
en ville... Tu le sauras pas, mais tu vas traîner avec

toé... Tu vas traîner avec toé mon malheur à moé...
J's'rai pas capable de pas te transmettre mon malheur... pis de pas le transmettre aussi à tes enfants.
(Silence.) C'est peut-être la darniére fois que j'te
parle.

*Elle disparaît dans le noir en direction du puits sus-
pendu.*

JOSAPHAT

La corde est coupée. La maison va rester icitte.
Le canot s'en va à la dérive... Quand on va accoster
à Morial, y'a juste Gabriel qui va débarquer. J'pense
que moé pis Victoire on va toujours rester dedans...
Deux âmes pardues dans un canot d'écorce échoué
dans un port trop grand... *(Silence.)* J'ai tout fait ça
pour que mon fils soye pas un paria, pour qu'y paye
pas pour le trop beau péché de ses parents. J'ai pris
mes responsabilités de père, de chef de famille... j'ai
tout sacrifié pour que mon enfant soye jamais pus
montré du doigt. Chus pas un irresponsable. Même si
je sais que Morial a pas besoin de mon violon!

ALBERTINE

C'est vrai que c'était une belle image, par exemple... Nos deux au bout du quai avec notre belle-
soeur sur sa chaise longue... Y'a pas de bruit... Juste
l'eau sur le quai... Ça sent un peu la vase... *(Elle
ferme les yeux.)* J'aimerais ça être capable...

Édouard s'approche d'elle.

ÉDOUARD

C't'encore possible... Ça dépend juste de toé. Le
soleil est chaud... t'as mis ta serviette sur tes épaules

parce que c'est la première fois que t'en prends depuis longtemps... Tu te doutes un peu que j'veux te parler... Moé, j'sors de l'eau comme une grosse baleine, j'dégoutte de partout... J't'envoye de l'eau comme j'faisais quand on était petits, en me brassant le darrière à quatre pattes sur le quai... Ensuite, j'me couche sur le dos, les quatre fers en l'air, la langue sortie... Tu ris. Tu ris, Bartine! Pis parce que tu ris, j'me décide.

Il la prend par les épaules, un peu comme au début d'un duo à l'opéra.

ÉDOUARD

Bartine... Bartine...

ALBERTINE

Quoi, donc...

ÉDOUARD

Mes affaires vont pas très bien ces temps-ci... Mon salaire de vendeur de suyers me suffit pus depuis que Samarcette est parti... J'en ai parlé avec Gabriel, avec notre belle-sœur... J'aimerais ça reprendre ma chambre, à'maison, pour un temps... Pas pour toujours... Pour un temps. R'prendre ma place. Parce que j'ai de la peine. Parce que chus tu-seul. Pis que j'ai besoin de vous autres.

Silence. Il l'embrasse dans le cou, passionnément. Elle appuie la tête contre son épaule.

ALBERTINE
épuisée, un peu comme sa mère, plus tôt

On va dire que la scène est finie. On va dire que le rêve est fini. Tu m'as toute dit.

ÉDOUARD

Qu'est-ce que t'as répondu...

Elle se tourne brusquement, se réfugie dans son cou en pleurant. La grosse femme détourne un peu la tête.

ÉDOUARD

Si tu dis oui, tu vas être obligée d'endurer la Poune, pis madame Pétrie, pis Shirley Temple, par exemple...

Albertine se raidit. Victoire entre en scène en courant et se jette dans les bras de Josaphat. Jean-Marc se lève lentement, vient s'asseoir à côté de sa mère.

JEAN-MARC

J'me suis toujours considéré comme l'insignifiant de la famille. Le moins compliqué. Le moins intéressant. Chus venu au monde longtemps après Marcel, j'étais le dernier des trois familles...J'étais plutôt tranquille. Je regardais les autres se débattre dans leurs malheurs, dans leurs bonheurs, aussi, parce qu'y'avaient tous ben d'la misère avec le bonheur... J'trouvais que tout ça avait pas de sens. Que la vie avait pas de sens si tout était toujours aussi compliqué. J'voulais pas avoir une vie aussi compliquée que ça, moi... Pis un jour, au mois d'août, ici... On était venus passer quelques jours, mon père, ma mère, mes deux frères pis moi... J'étais plus jeune que Sébastien dans ce temps-là... La semaine se passait assez bien... mais c'était un peu bizarre de se retrouver tout seuls, comme ça, tous les cinq... J'pense que c'était la première fois. On était toujours noyés dans la grande saga familiale de la rue Fabre, tu comprends... La vraie vie de famille était impossible pis ma mère, surtout, en souffrait... Vers le milieu de la semaine, toujours, ma mère nous dit: «Suivez-moé pas... J'm'en vas au lac, là, mais suivez-moé pas...» A'l' avait sorti une vieille robe de maison qu'a' portait pus pis qui était déchirée en dessous des bras... J'l'ai regardée partir... inquiet. Ma mère nous demandait jamais qu'on la suive pas. Mes frères pis mon père avaient affaire à Duhamel ça fait qu'y'en ont profité. Moi, chus resté ici. J'me suis assis exactement où chus assis maintenant. Pis j'ai regardé en direction du lac. On voit pas le bord de l'eau, d'ici, à cause du terrain qui descend à pic, on voit juste le bout du quai parce qu'y s'avance loin dans l'eau... Ma mère était pas sur le quai. Qu'est-ce qu'a' pouvait ben faire en robe de maison au bord de l'eau? Pis tout d'un coup, peut-être au bout d'une demi-heure, j'ai entendu un petit cri. Pas un cri d'effroi ni un cri de surprise, juste un petit cri. Chus parti en courant vers le lac. À côté du quai y'a un escalier de pierre, tu vas le voir, demain, Mathieu... Ça devait être pour accrocher les bateaux, à l'époque, ou j'sais pas trop... Ma mère... ma mère qui avait beaucoup de difficulté à entrer dans le bain, en ville, à cause de sa grosseur pis qui disait toujours qu'è'tait obligée de se laver paroisse par paroisse... ma mère était descendue dans l'eau avec sa robe de maison... A' s'était assise sur la dernière marche de l'escalier de pierre, ce qui faisait qu'a'l' avait de l'eau à peu près jusqu'aux épaules... A' se débattait un peu dans l'eau... pis a' lançait des petits cris de joie qu'a'l' arrivait pas à retenir... J'étais tout près, caché derrière un bouleau, pis j'la voyais de profil... J'avais jamais vu un visage pareil... A'l' avait levé son visage vers le soleil, j'voyais ses mains qui brassaient l'eau... Sa robe de maison ballonnait autour d'elle, a' donnait des petites claques dessus pour chasser l'air... J'connaissais pas c'te femme-là, Mathieu. Depuis combien de temps c'te femme-là était pas entrée dans l'eau comme ça? Pis tout d'un coup, a'l' a envoyé sa tête un peu plus par en arrière, pis a' s'est mise à rire... Un rire d'enfant content qui découvre l'eau d'un lac pour la première fois... Le paysage s'est soulevé, j'ai vu ma mère, le quai, le lac, les montagnes s'élever dans le ciel, comme dans les contes de mon oncle Josaphat pis j'me suis dit: la vie est pas compliquée. La vie a un sens. La vie a un sens, ma mère rit!

La grosse femme se met à rire.

JEAN-MARC

Y m'arrive souvent de m'ennuyer de ce rire-là. Quand la vie est compliquée. Comme maintenant. J'm'ennuie beaucoup d'elle, aussi. Est partie depuis vingt-sept ans pis j'm'ennuie encore d'elle!

LA GROSSE FEMME

Demain matin, en se levant, on va aller se baigner!

MATHIEU

C'est vrai qu'y s'est passé beaucoup de choses, dans cette maison-là... Des choses vitales pour ta famille, qui avaient rien à voir avec moi et dont j'étais peut-être un peu jaloux... mais tout ça me concerne maintenant parce que c'est important pour toi. C'est des choses qu'y va falloir que j'apprenne à... ajouter à ma vie. Cette maison-là est la cathédrale de ta famille, va falloir que j'apprenne à vivre avec...

Victoire se tourne vers le lac.

VICTOIRE

Adieu, mon lac! On s'en va. On t'abandonne. Essaye de t'ennuyer de nous autres autant qu'on va s'ennuyer de toé. Garde-nous en toé, garde nos empreintes, garde l'empreinte de nos corps autour du quai pis moé j'vas garder ton empreinte à toé... dans mon cœur. Garde nos senteurs... nos rires... nos traversées à la nage, comme si on avait voulu te couper en deux. Garde la trace de nos raquettes, l'hiver, quand on te piétinait pour aller à Duhamel. *(Silence.)* On se reverra pus. Jamais. R'garde-moé ben. C'est la dernière fois que tu me vois. J'm'en vas. En ville. *(Silence.)* Josaphat! Josaphat! Appelle le yable! C'est le temps de partir!

L'éclairage change brusquement. Marcel sort de la maison avec sa cage.

MARCEL

Viens, Duplessis... Viens... Y dorment... *(Il dépose la cage, ouvre la petite porte.)* Viens... Sors, aie pas peur, y'a pas de danger... C'est ça qui s'appelle la campagne... *(Il s'asseoit à côté de la cage.)* C'est ça... tu peux sortir tant que tu voudras... mais éloigne-toi pas, par exemple, j's'rais inquiet... Viens, viens me voir... va pas trop loin, viens me voir... c'est ça, viens me voir... T'es trop beau... t'es trop beau, Duplessis... *(Il caresse le chat invisible.)* On va être bien, ici, tous les deux... Tu vas me montrer tout c'qu'y'a à savoir, pis moi j'vas te caresser... *(Il se couche sur le dos.)* Tu me chatouilles, Duplessis, tes moustaches me chatouillent... *(Il rit.)* Monte sur mon ventre.... C'est ça... étends-toi sur mon ventre... *(Il caresse Duplessis.)* On est bien, hein... On est bien, ici... On est bien. On va... être... heureux.

On entend le violon de Josaphat.

Noir.

Paris, New York, Montréal,
mai 1989 — août 1990.

TABLE

Achevé d'imprimer
en septembre 1990
MARQUIS
Montmagny, QC